案件現場直播
Scams and lies
03．騙局與謊言
退戈
著
BABY
HYPNOTIC
00:00:03
HD 2K FPS60

目錄
CONTENTS

第一章　共犯？

審一個小時後，密閉的審訊室內。

穹蒼提著檔案走進來，在桌邊坐下。

洪俊還穿著工作用的黃色背心，低頭坐在對面的椅子上，眼神空洞，臉上既沒有憤怒也沒有委屈，彷彿已經失去了情緒波動。

穹蒼問道：「吃過早餐了嗎？想吃肉包還是菜包？甜豆漿還是鹹豆漿？」

洪俊抬起頭，眼神落在她的臉上。

穹蒼笑道：「沒意見的話，我就讓人幫你各帶一份了。」

穹蒼拿起手機傳了一則訊息後靜坐著等候。十分鐘後，賀決雲提著一手的早餐走進來。

饒是洪俊也用奇怪的目光打量她，猜不透她的意思。

賀決雲把東西放下，穹蒼客氣地對洪俊道：「你喜歡吃什麼？隨意。」

洪俊沒有動作，倒是穹蒼先拿了兩袋，跟賀決雲坐在桌子對面閒適地吃了起來。包子的香味在空中瀰漫，稍稍驅散了審訊室的冰冷和肅穆。

洪俊頹然地坐著，宛若神遊天外的人。

穹蒼終於開口道：「你知道我們為什麼要把你叫來嗎？」

洪俊點頭。

「你不可能不認識丁陶。」穹蒼說：「不過我知道你這麼做的原因，你只是不想惹上麻煩。我可以理解你一次，希望你以後能跟我說實話。」

洪俊聲音沙啞，說話的時候好像很無力：「妳想說，是我殺了他？」

「我們正在調查。」穹蒼說：「我個人不這麼認為，因為我覺得其中有疑點，還不能找到相對合理的邏輯。但我可以坦誠地告訴你，目前的證據對你很不利。」

洪俊眉毛微微一皺，臉上的皺紋跟著挪動起來：「因為我發現了丁陶的屍體？」

「丁陶是因為服用過量的安眠藥而死的。」

穹蒼把一個白色塑膠袋丟到桌子中間。打結的袋子裝著一盒盒藥劑，袋子正面印了醫院的標誌。

「我們拿著搜索票去你家裡找過。這個袋子裡有醫院的收據，證實這就是你三天前去醫院開的藥物，裡面的藥品也全都對得上，除了安定劑。醫師一共開了七天的安眠藥給你，你又去另一家醫院開了十五片。那麼多的藥量，你不可能已經服用完。所以，藥呢？」

洪俊眼中閃過一道暗光，原本軟綿低垂的眼皮睜大了些，他偏過頭盯著攝影機，鼻翼動了動。任誰都能看出，他的態度發生了極大的轉變。

穹蒼捏著自己的指節，觀察他的變化，問道：「人是你殺的嗎？」

洪俊突然不再言語。

穹蒼用舌尖舔舐自己的牙齒，思忖片刻後又說：「我們還在現場找到了凶手的腳印，證實凶手穿的是公司統一分發給清潔人員的鞋子。如果你不配合我們，你將成為最可疑的嫌疑人。」

洪俊閉上雙眼，澈底迴避她的審問。

穹蒼深吸一口氣後倒在椅子上，思考自己剛才說錯了什麼。

賀決雲歪著腦袋斜視天花板，隱隱覺得自己抓到了關鍵，又說不太明白。

「這樣你滿意嗎？」穹蒼瞇著眼睛，試探道：「洪俊，你老實本分、辛辛苦苦地堅持了十二年，到頭來，替別人背上殺害丁陶的罪名，這樣你滿意了嗎？」

洪俊扯了扯唇角，露出一絲自嘲的意味，但並不明顯。

穹蒼從來沒見過這麼難以捉摸的男人，不由偏頭看了賀決雲一眼。他兩手抱胸，大概是脖子痠了，又換了個方向歪頭，看起來頗傻氣。

穹蒼收回視線，又對洪俊道：「誰能拿到你的安眠藥，你心裡應該有人選吧？他知道你長期失眠，知道你一次開了半個月的安定劑，知道你的工作範圍和工作時間，還知道你的鞋子尺寸。我相信他一定跟你有關係。」

穹蒼有節奏地敲著桌面：「因為她幫你殺了丁陶，所以你感謝她，願意替她承擔罪名？那你知不知道，她刻意留下清楚的鞋印來陷害你，還把案發地點選在你的工作範圍之內？她的本心必然不是為了幫你，你沒必要以德報怨。」

出乎穹蒼意料的，洪俊依舊沒什麼反應。

如果不是知道洪俊孑然一身，穹蒼都要誤以為嫌犯是洪俊的哪位親人，居然能讓他如此維護。

可是沈穗跟他有那麼親近的關係嗎？

穹蒼撇撇嘴，咋舌一聲。既然對峙無果，穹蒼乾脆甩出一份資料挪到中間。

檔案夾中間夾著幾張照片。

「我知道不是你。警方沒你想像得那麼無能，定罪也比你以為的更加嚴謹。這張是現場確認為凶手鞋印的照片。雖然鞋印上的花紋跟清潔人員統一分發的鞋子一樣，但根據採集的鞋印來看，這明顯是由一雙新鞋踩出來的痕跡，而你最近沒有申請過新的鞋子。」

穹蒼一手指著上面的圖案，目光緊緊鎖在洪俊身上。

「每個人走路的姿勢不一樣，會對鞋子產生不同程度的磨損，同時也會在地上留下不同的痕跡。我們根據你家中存放的舊鞋發現，你走路的姿勢相對標準，而這位凶手走路有點外八。你總不可能謹慎到這種地步。」

洪俊有了些許波動，眼珠轉動了起來，順著她的話進行回憶。

穹蒼繼續道：「此外，大腳穿小鞋跟小腳穿大鞋，呈現的鞋印是不一樣的。根據專家的初步分析，這雙鞋子的長度是四十三碼，但是穿這雙鞋子的人，腳長在四十三碼以上。我們也可以找全國最頂尖的足跡分析專家來幫忙鑑定，他能精確計算出犯人的身高，前後誤差不超過兩公分。你就算在這裡拖延時間，也改變不了任何事情。」

洪俊的表情再一次出現變化，只是這次的變化中出現了迷惘的神態。他微微張開嘴，朝著側面偏了下頭。

穹蒼挑眉。

賀決雲看著洪俊，若有所思地摸著自己的下巴，突然開口道：「你該不會真的跟沈穗有一腿吧？」

洪俊反應遲緩道：「你在胡說什麼？」

賀決雲說：「不然你為什麼要替她頂罪？你保持沉默，難道不是為了保全沈穗嗎？」

洪俊終於明白過來，生氣道：「我為什麼要替她頂罪？姓丁的一家有一個是好人嗎？」

他的表現真實，不似作偽。穹蒼睜大眼睛，驚喜地望向賀決雲。

賀決雲聳了聳肩膀。

穹蒼的聲音再次強勢起來。

「因為沈穗，丁陶的妻子，是除了你以外最可疑的人。」穹蒼一字一句道：「我們已經掌握了一定的證據，目前可以證明沈穗有參與這件事。我們推導出的案件經過是這樣的，昨天晚上，丁陶回到家中，被沈穗找藉口灌醉，然後餵食安眠藥。沈穗趁他沒有意識之際，開車將他運到公路旁邊，同夥的青年把丁陶拋在草地裡。兩人再分別離開現場。沈穗心理素質不行，在我們的盤問下已經露出了很多破綻。她對城市裡的監視系統也不了解，不可能毀滅所有證據，她註定逃不掉。」

洪俊眼神的焦點在空中亂轉，嘴唇顫動，開始無聲自語。

穹蒼說：「安眠藥是你提供給沈穗的，你們早有聯絡，並且密謀了整件事。你刻意推遲自己的工作時間，就是為了確保自己發現丁陶的時候，他已經死亡。然後你才報警。」

洪俊叫道：「我沒有！」

穹蒼大力拍桌，清亮的聲音驟然將洪俊的情緒拔升起來，她聲音急促道：「你的確沒有參與最直接的部分，因為你沒有那個膽量。十二年了，你都沒有那個膽量去殺人。沈穗雖然跟你合作，卻又不甘心讓你清清白白，想拖你下水，於是她找了一個同謀，穿著跟你類似的鞋子，將丁陶處理乾淨，並把嫌疑嫁禍到你頭上。而你卻還在包庇她！」

「我沒有！」洪俊站了起來，雙手按在桌上，胸口起伏，激動叫道：「不是我！」

「我知道不是你。原來你不知道沈穗才是凶手嗎？看來我們之間的交流出現了一點誤會。」穹蒼將剩下的早餐往前一推，客氣地笑道：「現在想吃早餐了嗎？」

放映室內，一直安靜觀看的何川舟突然說道：「穹蒼……是嗎？我覺得她每次對別人情緒的判斷都很準確。之前在詢問沈穗的時候也是，她懂得如何放鬆別人的警惕，如何在不知不覺中施加壓力，如何透露半真半假的消息迷惑對方。當你直視她眼睛的時候，你會有種被洞穿的錯覺。她……很有天分。」

謝奇夢說：「她沒有學過心理學。」

何川舟：「所以我說是天分。」

謝奇夢沉默良久，問道：「如果能夠輕易獲知別人的想法，卻沒有足夠的同理心，這樣不恐怖嗎？」

方起抽抽嘴角，翻了個白眼。

何川舟問：「如果你面對和這類似的局面，你會怎麼處理？」

謝奇夢緊繃的神經被勾了下，他張大嘴巴，感受到輕微的刺痛，才發現一直沒有飲水，嘴唇已經乾到快要脫皮。他說：「根據證據辦案。」

何川舟說：「那如果證據指向洪俊，洪俊本人又不承認呢？同時外界呼求破案的壓力很大，上級長官命令盡快查辦，你心裡還有一點沒解開的疑問，你會不會遞交這份證據發起公訴？」

謝奇夢的聲音不是很堅定，卻還是說：「不會。」

一旁的方起聞言笑了兩聲，插話說：「那是因為你主觀地知道洪俊不是凶手。現場的證據太粗糙，誣陷的意圖太明顯。如果犯人把現場做得逼真一點，證據安排得縝密一點，你心理上信了七八分，就算留有一點點漏洞，你其實還是會。」

謝奇夢感覺被挑釁，帶了點慍怒說：「如果證據是真的，而且都指向他是嫌犯，那麼比起我的主觀，我當然會選擇相信證據。更何況我的任務是調查案件、蒐集證據，而最終進行司法判決的是法院。」

方起繼續嗆道：「法院會偏向偵查機關提供的證據是真實的，你應該要先保證自己的證據來源是否可靠，而不是把責任轉嫁給法院。」

謝奇夢說：「你這就是強詞奪理了，我剛才說了，前提是『如果證據是真的』。」

「什麼叫強詞奪理？你的前提是你的工作沒有錯誤？前提明明是『你心中還有疑慮』。既然有疑慮，說明有不合理，你應該要做的是反覆確認證據來源的真實性，以及邏輯推導的合理性，而不是直接提起公訴。」方起擠眉弄眼道：「是不是啊，何隊長？」

謝奇夢被他氣得肝痛，冷笑道：「這位先生，你為什麼要針對我？」

「你駁回了我多少份報告，我怎麼就不能針對你了？」方起不客氣道：「你對穹蒼的看法不就是存在無理由的偏見嗎？你不是說你只相信證據嗎？證據呢？你的愚蠢嗎？」

謝奇夢努力控制著語氣：「你有你的考量標準，我有我的考量標準！你能不能不要因為結果不符合自己的預期，就對別人進行人身攻擊？」

「什麼是你的標準？為什麼你的標準能夠干涉另一個專業領域的標準？我才是心理醫師！」方起分寸不讓道：「穹蒼有她的才能，這是基因表達中的幸運。除此之外不代表任何事情。你覺得她可怕，那是你的問題。她表現出情緒，你說她偏激，開始防備她的下一步舉動。她表現得中立，你又說她冷漠無情，缺乏同理心，懷疑她內心潛藏著什麼難以預測的惡意。你是想怎麼樣？你究竟是想讓她做一個普通人，還是根本就不相信她是一個普通人？你的預設立場已經影響到你判斷的公正性，你問問你們何隊長怕不怕。」

「我——」謝奇夢語塞，緊張地用餘光看向何川舟。

何川舟神色不變，指了指螢幕道：「看劇情吧。你們要是想分個勝負就出去討論，這麼多人看熱鬧呢。」

三天的技術人員立刻低下頭，裝模作樣地敲了幾行程式碼，幾位看得津津有味的心理醫師也遺憾地移開視線，對著自己客戶的表現指指點點。

方起抓了把柔順的頭髮，傲然地坐回自己的位子。

審訊室裡。

洪俊支起身拿過桌上的包子，解開塑膠袋，大口咬了下去。

他每一口都吃得很用力，臉頰兩側鼓起，塞滿了食物。一下一下認真咀嚼，彷彿要把多年來的心酸盡數嚼碎。

吃到一半，眼淚已經流了下來，顆顆豆大地打在桌面上。

穹蒼與賀決雲沒有打擾他，只是安靜地看著，並從袋子裡抽了兩張面紙遞過去。

洪俊接過後擦了一把，卻止不住一直流淌的熱淚，最後抬起手臂，狠狠地用衣袖擦拭著臉龐。

這個包子大概是他多年以來吃過最鹹酸、最嘗不出味道的包子了。

等他終於把東西吃完，頹然地垂下肩膀，再次陷入空虛的恍惚之中。

穹蒼開始自己的提問。

「你為什麼要一次開半個月的安眠藥？」

洪俊這次配合地回答，說著開始疲憊地搖起頭來：「我睡不著。我服用了很久的安眠藥，劑量很重，已經有了嚴重的依賴性。醫師勸我要減少劑量，可是我真的太累了。」

穹蒼問：「有多少人知道這件事情？」

「應該不多吧。」洪俊說：「不過要是想查的話應該不難，我沒刻意瞞過誰。我每週都要去醫院，如果有人跟蹤我，就會知道我在幹什麼。」

穹蒼：「你最早想要包庇的那個人是誰？」

洪俊沒有直接回答，而是反問道：「沈穗真的是凶手嗎？」

「按照規定來說，在調查結果出來之前，我們是不能把實際的案件細節告訴你的。」

穹蒼將桌上的檔案一一收回，一邊整理一邊道：「我現在跟你說的，只是我自己的推理和發現而已。我懷疑她是，不過在法院正式判決之前，我也只能是懷疑。」

洪俊心生疑問道：「她為什麼要殺了丁陶？丁陶很有錢，沈穗只是一個家庭主婦。丁陶死了，她就什麼都沒有了。」

「看來你了解過沈穗啊。可惜你不太了解丁陶。」穹蒼輕笑，避開了最關鍵的內容，含糊其辭道：「詳細原因我們也還在調查。我只知道，只要從現場經過，必然會留下痕跡。不過，我可以糾正你一個認知錯誤。丁陶並不像你想像得那麼有錢。他日常開銷很大，夫妻都喜歡買奢侈品，收藏貴重物品，有著強烈的虛榮心。工廠的盈利已經完全不足以維持他們表面的光彩，所以丁陶涉足了一些灰色領域，還有過億的負債。這些是公司的營運問題，我不知道你聽不聽得懂。」

洪俊聽不聽得懂不要緊，他只知道「過億」、「負債」這兩個詞就可以了。

穹蒼說：「你現在可以回答我剛才的問題了吧？」

洪俊喉結滾動：「我以為是……是我一個朋友。她是我同事，我跟她講過我的過去。你們說凶手是用我的安眠藥來殺人的，還穿著清潔人員的鞋子，我就以為是她。」

穹蒼雙手交叉托著下巴，分析他說起這個人時的情緒，然後道：「你為什麼會以為是她呢？就算你們關係再好，普通人也不會做出替另一個人殺人報仇這樣的事情。」

「她不一樣……她快沒命了，病得很重。我沒什麼要用錢的地方，會借錢給她治病，她一直很感激我，想報答我。」洪俊的聲音逐漸變小，低下了頭，像是回憶起什麼，露出一個說不盡苦澀的笑容，「她跟我一樣形單影隻。她兒子很早就死了，可她一直不知道凶手是誰。也許是我的情緒影響了她，有時候，我真的需要靠跟她說說話，才能繼續過日子。後來她說想幫我報仇，我就以為她真的去做了。」

賀決雲在一旁提筆記錄。

洪俊又問：「幫助沈穗殺人的人是誰？」

「如果我們知道的話，現在就不用在這裡提審你了。」穹蒼點亮手機螢幕示意給他看，「從發現屍體到現在，才過了不到六個小時。因為你不說實話，我們大半的時間都耗在你身上，你總得給我們一點時間吧？」

洪俊覺得她說的有道理，沒有緊逼，又聽穹蒼壓緊嗓音，朝他神祕道：「不過……我有一點懷疑，丁希華被迫協助沈穗殺人。」

洪俊瞳孔縮緊，因為激動差點發不出聲音。

穹蒼接著說：「丁希華跟在沈穗身邊，一副欲言又止、唯唯諾諾的樣子。明明說沒見過丁陶，可是在我不經意問起的時候，他們卻回答出了丁陶死前才換上的衣服。何況沈穗在短時間內，應該找不到人跟她裡應外合。」

「報應啊，妳看看，這是報應啊！」洪俊大笑起來，本該爽朗的笑聲從他沙啞的喉嚨裡溢出，變成了桀桀怪笑，甚至帶著一點哭腔。

「他殺死我的妻子跟孩子，十二年後，他被自己的妻子和兒子殺死了！這是什麼樣的報應？世界上為什麼會有他這樣的人？」

洪俊身體不住地顫抖，穹蒼問道：「你為什麼不直接問你那位同事？她現在人在哪裡？」

洪俊止住笑聲，說：「我問過了，可是她的手機打不通，所以我才以為她是凶手。」

穹蒼：「名字，聯絡方式。」

洪俊閃過遲疑，最後還是把對方的資訊說出來。

賀決雲一一記錄，並將資料傳給同事，告訴他們這位嫌犯同樣是一名清潔人員，請他們盡快幫忙確認。

勤勞工作的員警直接聯絡了相關街道，而後又根據手機號碼搜索到了一家醫院，很快給予兩人回覆。

『查到了一份急救記錄。董茹姚，女性，三十九歲，昨晚在城東街道工作的時候突然病倒，被路過的車輛送到了醫院。目前已經結束搶救，但是尚未清醒。』

穹蒼聽到是一名女性，就知道她跟丁陶的案子應該沒什麼直接的關係。搬運丁陶的是一名腳長超過四十三碼的男性。

何況城東街道距離凶案現場很遠，董茹姚如果要殺人，不必特地選擇那個地方，還給洪俊增加了嫌疑。

果然對方又補充了一則資訊。

『跟城東那邊的街道工作人員確認過，董茹姚昨天下午參加了街道舉辦的免費體檢，結束後跟他們的工作人員一起吃了頓晚餐，又借他們的休息室睡了一下。晚上出去工作，沒過多久就被送到醫院，沒有作案時間。』

穹蒼和賀決雲對視一眼，澈底排除了她和洪俊二人的嫌疑。

「她現在在醫院。」穹蒼說：「已查證，沒有作案時間。」

洪俊鬆了口氣。

穹蒼起身道：「感謝你的配合。出去辦一下手續，就可以離開了。」

她將椅子推回去，眼神中再次浮現出些許的冷光，說：「不過，我還是希望你能勸告你的朋友一句。遵紀守法，不要因為生命即將逝去，就放棄自己的底線。殺人沒那麼簡單。」

洪俊站起來，目送二人離開。在穹蒼走到門口的時候，他突然說了句：「謝謝啊。」

穹蒼朝他點了點頭，邁步離開。

等二人從審訊室走遠，賀決雲才問道：「妳剛才跟洪俊說的是真的嗎？」

他們的腳步聲一先一後地響起，緊緊跟隨，節奏鮮明。

「你說哪一句？」穹蒼略帶驚訝地回頭道：「我不保證我說的是真實的，我的形容一直都是『我覺得』。你沒聽出來嗎？」

「懷疑丁希華的那一句。」賀決雲說：「妳懷疑沈穗逼迫丁希華協助作案？」

穹蒼一臉無所謂地笑道：「降低洪俊的心理防備而已，他應該很渴望聽見這種結果。恐怕連做夢都沒想到這麼精采的劇情吧。」

賀決雲並沒有隨著她笑：「可是看妳當時說話的語氣，我覺得妳是認真的。」

穹蒼停了下來，轉過身，跟賀決雲面對面地站著。

無人的走道裡，二人互相注視著對方。

穹蒼沒想到賀決雲也會有一針見血地指出她說謊這件事這一天。他不是個連低級謊言都會相信的人嗎？

穹蒼依舊笑著問道：「為什麼會這麼覺得？所有人都會認為，這是裡面最不真實的一句。」

「感覺。」雖然賀決雲說是感覺，語氣中卻沒有一點懷疑的意味，「如果妳不是真的這麼想，就不會莫名其妙地給洪俊這種期望。妳不是這樣的人。」

穹蒼的笑容漸漸散去，問道：「我是什麼樣的人？」

賀決雲糾結了不到一瞬，給出了最標準的答案：「好人？」

穹蒼把雙手插進口袋，繃著唇角，還是忍俊不禁道：「語氣可以更加肯定一點，為什麼要變成疑問句？」

賀決雲說：「因為妳看起來好像快要生氣了。」

穹蒼正經起來，說：「我想聽聽你的意見。」

賀決雲：「說實話我覺得不會。沈穗給我的感覺，不是那麼堅強狠戾的人，一般的母親是不會做出逼迫自己兒子走上犯罪這條路的事情。妳是不是弄錯了？」

穹蒼說：「我已經弄錯過很多次了。」

賀決雲：「什麼？」

「你知道整個案子裡，讓我最想不通、最感到違和的地方是什麼嗎？」

「是什麼？」

穹蒼抬手按住頭部兩側的穴位，說：「這件案子好像是早有預謀的。凶手特地找出了跟丁陶有血海深仇的洪俊，偷走了他的安眠藥，又將屍體拋在他負責清潔的工作範圍。種種做法，在警方面前推出了一個最有動機的嫌犯。」

「再者就是沈穗。一個有作案時間，心理素質不強，沒有專業知識，一出場就暴露多個錯誤的嫌疑犯。指向兩人的證據，都十分的粗糙淺顯。就好像一個明明謀劃得很得當的計畫，在實施的時候卻滿是漏洞。這根本不合理吧？」

賀決雲按照她的分析思考下去，發現的確如此。

沈穗的反應完全像是激情犯案，連面對警方時的口供都沒有弄清楚，就輕易地被穹蒼詐出了是在說謊。甚至倉皇無措地在一大清早穿著裙子迎接警方。

但她如果能有條有理地準備陷害洪俊的局，又不應該是這種表現。

凶手前後的表現，堪稱割裂。

穹蒼說：「我猜凶案現場附近的道路監視器，有清楚地拍到沈穗的車和她的臉，證實她到過凶案現場，是本案凶手。你信嗎？」

她話音一落，走道裡出現了如真空般的死寂，那種安靜讓賀決雲感到身體發涼。

這時，他手機的提示聲突然響起。

在這個副本裡，賀決雲已經被這毫無徵兆的手機提示聲嚇了好幾次。他低頭仔細看完上面的內容，再望向穹蒼的時候，眼神帶上了閃爍著崇敬的光芒。

穹蒼說：「去查一下丁希華吧，說不定有意外收穫。他的眼神告訴我，他一點都不簡單。」

賀決雲讓人去抽調丁希華的個人檔案，包括他學生時期身邊發生過的所有重大事件，或者對他有過特殊評價的學生、老師。

穹蒼根據目前已有的證據，讓沈穗來警察局協助調查。

丁希華是陪著沈穗一起來的，他乖巧地站在沈穗的身邊，略帶羞怯地跟路過的員警打探細節，穿著一身白色的襯衫，模樣看起來善良無害。

沈穗被人帶去審訊，丁希華則留在休息室耐心等候。賀泱雲本來想上前和丁希華搭話，想試試能否從他身上問出什麼，卻被穹蒼抬手攔住。

穹蒼搖搖頭，示意他不要從丁希華的身上直接突破，以免打草驚蛇。不如去丁希華的學校問問，他昨晚是什麼時候回去的。

穹蒼又點了之前那個匆匆忙忙的年輕員警，讓他跟自己一起過去審訊。青年眼睛發亮，豪放地將外套一脫，興奮地地跟了上來。

兩人拿著資料，一前一後地進入審訊室。

清脆的落鎖聲讓已經坐在裡面的沈穗抬了下頭，她看著罩在自己身前的黑影，指了指燈光道：「不好意思，能不能調暗一點？我的眼睛不好，被照得很難受。」

穹蒼遺憾說：「不好意思，我們這裡的燈不夠高級，沒有調整光線的功能。」

沈穗獨自面對他們，顯得很沒有安全感，不停地在凳子上小幅挪動，調整姿勢，這張椅子似乎讓她坐得很不舒服，也讓她不曉得該如何擺放雙腳。

「又見面了。」穹蒼說：「沒想到會這麼快？」

沈穗問：「為什麼要把我叫到這個地方？你們早上不是已經問過話了嗎？」

「因為又有一些疑問想請教妳。」穹蒼說：「我們也請了別人。剛才洪俊也有來過。」

沈穗聽見這個名字，緊張道：「他說了什麼？你們怎麼就這樣放他離開了？他不是凶手嗎？」

「這個我無法告訴妳。」穹蒼玩笑似地說道：「不過妳可以自己猜。」

沈穗不敢置信道：「啊？」

穹蒼豎起資料夾，低頭翻看上面的內容，漫不經心道：「我有一個疑問，妳為什麼會知道洪俊是誰？」

沈穗愣住，然後說：「我當然知道啊，他不是殺害我丈夫的嫌犯嗎？妳今天早上不是有跟我說過嗎？」

「是嗎？」穹蒼視線越過檔案的上方看向她，「上次見面的時候，我沒有在妳面前提起洪俊的名字。對妳來說，他應該只是個跟妳丈夫見過一面、而且十二年都沒再聯絡過的人。你們那麼多年沒見，妳怎麼還記得他的名字？」

沈穗雙手環住自己，沒什麼感情地說：「畢竟發生過不愉快的車禍，對他的印象比較深刻。」

「我不懷疑妳記得這個人的臉，但是人類的記憶力沒有妳想得那麼強大。」穹蒼說：「很多人大學畢業就已經不記得大部分國小同學的名字了。更何況那還是相處過六年的朋友。」

沈穗生氣了：「我就是記得！」

穹蒼笑了下，從檔案袋裡抽出兩張照片，並排放在一起，用手指推了過去。

「我記得妳在不久前說過，妳昨天晚上沒有出門。請解釋一下，這又是什麼呢？」

照片的上方標注著時間，顯示是昨天深夜十一點多。照片中的人開著一輛白色的汽車，戴著一頂黑色的鴨舌帽，可惜帽子未能遮住她的臉，路邊監視器的角度剛好把她的臉清晰地拍了下來。

沈穗看了照片一眼，很快收回來。雖然她極力想要保持冷靜，可是她脖子上外突的鎖骨，足以證明她此刻的緊張。

「監視器畫面調取的地點，就在案發現場附近。沿著這條路走，必然到達丁陶的死亡現場。」穹蒼嘲弄道：「看來妳不僅出過門，還去『探望』過妳丈夫啊？」

沈穗明顯思考過這個問題，回答的速度很快，咬字清晰：「我昨天只是路過這個地方而已。聽你們說我丈夫死在那裡，我怕被你們懷疑，才下意識說謊的。其實我沒想那麼多。」

穹蒼：「你們夫妻感情不是挺好的嗎？為什麼要擔心自己被懷疑呢？」

沈穗說：「很多凶殺案最後都會證實，嫌犯是家屬或是親朋好友。你們警方肯定會從我開始調查。」

青年員警故意把鍵盤敲得很大聲，暴躁地響動。

「哦——」穹蒼拖著長音點了點頭，「那妳昨天晚上到底去了哪裡？」

「去找我姐妹聊聊天。」沈穗抬手整理著自己額邊的碎髮，不停地把它撥到耳後，「我還沒把手機裡最近的通話記錄刪掉，妳可以回撥問她。她能替我證明，我是什麼時候到她家的。我根本就沒有在中途停車，只是路過而已。」

穹蒼攤手：「這無法證明。妳不需要停留多長的時間，妳只要在路邊把妳的同謀放下就好。」

「我沒有同謀！」沈穗大聲道：「你們為什麼不相信我？我根本沒有殺害老陶的理由！我只是路過，去我朋友家！」

穹蒼抬手一壓，示意她安靜：「夠了，不要再做這種無意的解釋。法官對於證據是有一定辨識能力的，妳以為靠一通胡言亂語就可以無事發生？妳也太藐視我國的司法程序了。」

青年員警一直在記錄，聞言抬起頭，衝對面的人呲了呲牙。

穹蒼說：「妳不承認也沒關係，我們會對妳的車輛進行搜查。昨天晚上妳去過哪裡、在哪裡停靠過、載過什麼人，我們都有可能查出來。現在的鑑證技術已經很發達了，最近幾年的新技術發展，更是普通人無法想像的，何況妳的手段並不高明。我想妳絕對不記得對車廂內部進行消毒清潔，破壞DNA證據吧？」

沈穗強撐道：「我們家的車有留下我丈夫的DNA，這不是很正常的嗎？妳不要試圖欺騙我。」

穹蒼搖頭：「丁陶昨天喝了那麼多酒，還被餵食了安眠藥。他曾在死前嘔吐過，妳猜他有沒有在妳的車廂內留下一些口水，或者其他分泌物？妳丈夫以前應該沒有吃過那麼高濃度的安眠藥吧？我們除了DNA檢測，還可以做成分分析啊。」

沈穗神情閃爍，像是被她一步步攻破，已在崩潰邊緣。

穹蒼說：「自首可以減少懲罰，供認同夥也可以減輕罪行。這是最後的機會了。沈女士，妳有什麼想說的嗎？」

沈穗幾番猶豫，終於低下頭說：「對，人是我殺的。」

青年員警露出喜悅的表情，衝著穹蒼擠眉弄眼。穹蒼卻沒有放鬆的感覺，坐正姿勢，聽她坦誠。

沈穗一字一句緩慢道：「我早就見過洪俊。我知道他恨我丈夫，所以……」

「夠了。」穹蒼打斷她說：「現場留下的腳印，恰好證明了洪俊不是凶手。因為它們不吻合。」

沈穗吞吞吐吐，冒出一句話：「你們是不是查錯了？現場明明有那麼多腳印。」

「就別懷疑我們的專業性了吧？」穹蒼被她逗笑了，拿起手機看了時間一眼，「我真的沒有多少時間能讓妳懺悔。如果妳不想說的話，我們有的是辦法自己查。只是到時候的結果就不一樣了。」

沈穗絞著自己的手指，閉著雙眼，沉沉呼吸。

等了五分鐘都沒得到回應，穹蒼似是失去耐心，說：「我們已經派人去丁希華的宿舍了。他昨天負責搬運丁陶，他的衣服和鞋子總會留下相關的證據。」

沈穗猛地抬頭。

穹蒼皮笑肉不笑道：「從家屬開始查起，妳剛才不是說了嗎？」

賀決雲抵達丁希華的學校後，向輔導人員問出了丁希華所住的宿舍，並把他的室友叫了回來。

室友幫他開門，賀決雲第一時間看見了掛在小陽臺上、還在往下滴水的衣服。他快步走過去，推開陽臺的玻璃門，把衣服取下來。

室友在後面看著他動作，表情很新奇。大概是第一次看見員警現場辦案。

賀決雲聞了聞，衣服上有很濃厚的漂白水味道。丁希華明顯比沈穗要縝密多了。

他問：「丁希華是什麼時候回來的？」

「昨天深夜回來的吧？」室友打了個哈欠，睏倦道：「他在半夜兩點打電話給我，說自己要回來，是不是很莫名其妙？而且回來之後就開始洗澡、洗衣服，簡直不可理喻！我昨晚已經為了寫論文熬了一夜，被他一折騰，我一整晚都沒睡。」

賀泱雲推開旁邊廁所的門，看見一個藍色塑膠盆擺在地上，裡面泡著一雙已經洗乾淨的鞋子。浸泡的液體裡同樣加了大量的漂白劑。

賀泱雲走出來，問：「丁希華那麼有錢，為什麼還要住學生宿舍？」

室友說：「他之前住在學校對面的社區，上個月才搬回來的。」

賀泱雲問：「為什麼搬回來？」

「我不知道。」室友聳肩，「方便上課吧？」

這理由聽起來也太敷衍了。

賀泱雲又問：「他昨天晚上怎麼進來的？」

室友走到陽臺，指著一個位置道：「他是從這裡爬上來的，我還幫他開了門。」

賀泱雲在他指的地方，看見了一個不太明顯的腳印。他站到邊緣，探出身體朝下張望，對著樓下那個同樣的陽臺，以及一樓處的草地若有所思。

「你在這裡等我一下，我盡快回來。」

賀泱雲跑到一樓，先在草地附近搜查了一遍，除了看見一些被壓塌的草皮，沒有別的發現。

他用手機記錄下所有的畫面，再朝二樓走去。

賀泱雲從宿舍管理員那裡拿了鑰匙，走到門口才發現二樓的宿舍裡還有學生。他聽見動靜，選擇抬手敲門。

裡面窸窣一陣，然後一個還穿著睡衣的青年過來幫他開門。對方一臉茫然地看著他。

賀決雲說：「我想去你的陽臺看一下。」

他還沒摸出證件，裡面的同學率先開口：「你是來找項鍊的嗎？」

賀決雲的手頓在胸口前面，說：「麻煩給我看一下。」

那位同學一邊轉身回屋裡拿，一邊問道：「你的東西怎麼會掉到我們的陽臺上啊？你是不是掛在上面曬著？不過我好像沒看過你，你是我們學校的嗎？」

賀決雲兩指將證件翻轉了下，展示道：「員警。」

睡衣同學差點打了個趔趄，小聲嘀咕說：「這東西有這麼貴嗎？還要報警啊。」

項鍊的吊墜斷裂了，應該是昨晚天色太黑，丁希華在攀爬時沒有注意，讓它卡在了某個位置，繼而被暴力扯斷。

賀決雲小心地用證物袋把它裝起來，回到樓上，找室友求證。

「這是丁希華的東西嗎？」

室友幾乎沒有思考，脫口而出道：「沒錯，他經常戴這個項鍊。」

賀決雲：「好，謝謝。」

賀決雲帶著東西走到僻靜處，朝穹蒼彙報情況。

撥號聲響了好幾次，穹蒼那邊才接通。

穹蒼：『有發現了？』

賀決雲說：「丁希華把衣服跟鞋子用漂白劑清洗了，我也不知道還能從裡面檢測出多少有用的資訊。不過我在現場發現了一條項鍊，是丁希華昨天爬牆的時候不慎掉落的。如果他作案的時候也戴著這條項鍊，說不定能有什麼收穫。我待會兒送去讓人鑑定。」

穹蒼：『嗯……』

賀決雲聽出她的語氣不太對勁，問道：「沈穗不肯招認嗎？」

『招了。』穹蒼說：『沈穗心理素質很差，第一次犯罪，內心極度焦慮，又不是非常聰明，隨便詐一詐就承認了。』

賀決雲疑道：「這不是好事嗎？案子破了啊，妳不高興嗎？」

穹蒼冷笑了兩聲，說：『她說是她殺了丁陶，而且設計了整個過程。她餵食過量的安眠藥給丁陶，以為他已經死了，然後脅迫丁希華幫自己搬運屍體。丁希華全程不知情、非自願、不主動，還曾多次勸告讓她自首，可惜她執迷不悟。她原本計畫把罪行嫁禍給洪俊，沒想到會被警方查出問題。』

賀決雲皺眉。

『或許丁希華從一開始，就知道自己可能會暴露。他任由沈穗留下無數的破綻跟線索，讓我們查到她身上。可是也明白沈穗會包庇他的罪行，獨自攬下大部分責任。這樣一來，丁希華只是個遺棄屍體的從犯，可以減輕處罰，甚至免除處罰。而遺棄屍體，但沒有進行侮辱破壞，本身的罪行就不重。』

穹蒼諷刺道：『用小小的責任，合法地逃避殺人的罪責。丁陶可真是教出了一個青出於藍更勝於藍的兒子。』

賀決雲默然，不知道該說什麼。

如果不是穹蒼這樣認為，其實他更願意相信沈穗的證詞，也不願意相信世界上會有丁希華這樣荒誕無恥的人。

穹蒼說：『我也到學校了，你等我一下。」

第二章　鬼迷心竅

放映室內，眾人都因穹蒼的敘述感到一陣惡寒。

幾位心理醫師將注意力轉向丁希華，想要深度分析這個很可能是反社會人格，且天生缺乏情感跟責任的人物。可惜落在他身上的鏡頭不多，穹蒼又避開了審問，他連話都沒說過兩句。

謝奇夢猶豫良久，還是問道：「她為什麼堅信丁希華不是無辜的呢？」

幾位技術員聞言紛紛抬起頭，也有相同的困惑。他們認為丁希華一直表現得很完美。聽話、懂事、靦腆，帶有一點緊張。如果這只是表演，那他的演技太厲害了。

穹蒼說丁希華的眼神有問題，可是他們同樣看不出來。

「感覺。」何川舟說：「或者是經驗。」

謝奇夢覺得「感覺」這種東西真的太玄妙了，它甚至不該被稱之為經驗。

何川舟坐了那麼久，姿勢依舊端正，她的聲音低沉有力：「如果沈穗真的是凶手，當她遇見洪俊開始，就在策劃這起殺人案件。她偷走了洪俊的安眠藥，調查好對方的工作資訊，甚至瘋狂的讓兒子幫自己處理屍體。那麼，她應該極度痛恨丁陶才對。」

「像她這樣的罪犯，通常性格固執，不會認為是自己的錯誤。被揭穿之後，她起碼要替自己辯解幾句，類似『是丁陶該死』、『是那個男人逼我的』之類的話。可是從她承認罪行開始，她就一直在替丁希華開脫，沒有說過丁陶一句壞話。我看不出她對丁陶的怨恨，以及不惜一切代價要將其殺死的偏激。」

眾人受其點撥，恍然大悟。

是啊。難怪沈穗總給他們一種奇怪的感覺，因為她身上沒有凶手的狠戾氣質，他們找不出合理的殺人動機。

「至於丁希華的可疑之處在哪裡……」何川舟說著停了下，指向方起問，「第一次見到丁希華的時候，你對他的評價是什麼？」

方起想也不想道：「沉默寡言，乖巧聽話，邏輯清晰，極度冷靜。」

一名技術員舉手發問：「為什麼是極度冷靜？」

方起解釋道：「父親去世，他像個支柱陪在母親的身邊，雖然表情看起來很悲傷，但是沒有出現任何失態。要知道，他只是一個二十幾歲的學生而已，面對這種事情，倉皇失措才是常態。他見到穹蒼之後，一直很冷靜地聽她詢問沈穗，哪怕二人看似要發生衝突，他也沒有打斷或插嘴。回答問題時中規中矩，聲音穩定，不主動探問父親的死因和案件的調查進度。所以我說他極度冷靜。」

眾人若有所悟地點頭。

「極度冷靜不是個貶義詞。」方起說：「只是我不認為一個極度冷靜的人，會犯下因母親脅迫而拋屍父親這樣的錯誤。」

何川舟問：「如果你們的母親逼迫你們處理自己父親的屍體，你們會同意嗎？處理完屍體後，還能冷靜地回到宿舍清洗衣物、消除證據，然後等待警方過來找人，並裝作悲傷的樣子，跟母親共演這齣戲嗎？」

方起補充道：「準確來說不是屍體，丁陶當時還活著。我不認為憑藉丁希華的智商，會發現不了這件事。」

別說深想，光是有了這個念頭，眾人就不由打了個哆嗦。

如果倒推來看，丁希華今天早上的表現，的確是過於「冷靜」了。

何川舟說：「我認為丁希華本人感情淡漠膚淺，即便跟家人生活了幾十年，也不太理解所謂的『親情』。他根據所學的知識，扮演著乖學生、好兒子的角色，但內心其實沒有那麼強烈的波動。也許他對雙親有一定的眷戀，可最主要還是以自己為中心。他喜歡光鮮亮麗、受人敬仰的生活，一旦有人觸碰到他的利益禁區，他就會進行驅除。」

這樣的人是很可怕的。他們看起來溫柔敦厚、平易近人，甚至像個好好先生，可是誰都不知道他的癲狂會在何時展現。他跟你說的每一句話，都有可能是謊言。

一位心理醫師問道：「如果沈穗始終堅持自己是主謀的話，豈不是沒有其他證據可以指正丁希華？那你們最後是怎麼把他定罪的？」

何川舟抬起下巴點了點，示意眾人繼續看副本。

此時，穹蒼已經抵達C大了，送她過來的就是那個戲很多且精力旺盛的年輕員警。

他在路上跟穹蒼說了一路，導致穹蒼跟賀決雲講電話的時候聽不清楚。

二人在路邊停車，去約好的位置跟賀決雲會合。

賀決雲還在打電話詢問同事相關的資訊，看見人影出現，抬手揮了下示意。

年輕員警立刻跑回去，振臂給予他回應，並大聲叫道：「賀哥，又見面了！我今天就跟著你們一起查案了！」

賀決雲盯著他看了三秒，掛掉電話，把用袋子裝好的項鍊遞過去說：「重要證物，你把它送回去檢驗。」

年輕員警順勢接過東西，訥訥道：「啊？」

賀決雲無情轟趕：「你可以走了。」

年輕員警：「……」

世界上怎麼會有這麼殘酷的男人？

賀決雲不顧這位NPC驟然轉變的表情，向穹蒼詢問道：「怎麼樣？妳想先去哪裡查？」

穹蒼不假思索地說：「去丁希華之前的租屋處看看，弄清楚他為什麼要突然搬走。」

賀決雲抬手一指：「打聽好了，就在東門對面的那個住宅區裡。」

二人說著，自顧自地離開，只留下年輕員警滿臉哀怨。

丁希華之前住的房子是租的。學校附近的租房熱門，現在已經被人租走了。

兩人試圖從警衛那裡得到資訊，可惜因為附近流動人口太多，警衛對丁希華沒什麼印象。

賀決雲在前面領路，帶著穹蒼去往社區內部。同時講解道：「輔導員跟他的室友也不知道他為什麼會突然搬回來。丁希華在他們眼中，就是個家境優越、長相中上、成績優異的男生，而且脾氣很好，基本上都是正面的形容。」

穹蒼問：「他有女朋友嗎？」

「沒有。」賀決雲說：「丁希華在學校裡經常受到女生的追求，但是沒有女朋友。他的說法是『目前想把心思放在課業上』。」

穹蒼：「單身的男生比較受歡迎。」

這話聽起來頗有種陰謀論的感覺，賀決雲忍不住懷疑道：「會不會是妳想多了？」

穹蒼說：「可能吧，查一查就知道了。」

說話間，兩人已經來到了丁希華先前住過的房子門口。

穹蒼駐足觀察了片刻，過去敲開隔壁鄰居的門。

三天在這一點上提供了足夠的便利給玩家，非主要 NPC，敲門必應，家中有人。

來開門的是個中年男性，身上還穿著居家服。他把腦袋從門縫裡探出來，戒備地問道：「你們是誰啊？」

穹蒼抽出證件給他看了一眼，問：「你一直住在這裡嗎？」

大叔的態度好了不少，主動解開防盜鎖出來說話。

「是啊。」

「你知道原先住在那一戶的人為什麼搬走嗎？」

「不知道。」大叔說，「他是學生吧？」

穹蒼點頭：「是的。」

「人挺好的，還經常送水果給我。」大叔樂呵呵地笑了兩聲，說：「大概是有什麼事情，所以就搬走了吧。」

他的態度像是知道什麼，卻又不好意思說。

「麻煩了。」穹蒼說：「這這件非常重要。」

中年大叔猶豫片刻，還是敘述道：「在他搬走之前，有個女生帶著她爸過來，幾個人吵得非常凶。剛開始是在門口鬧，後來男生就把兩人帶進屋子了。」他急忙揮手澄清道：「我不是故意偷聽的，這裡的隔音不好，他們叫得大聲一點，就算我不願意都聽得見。」

賀決雲問：「他們說了什麼？」

「賠錢什麼的。」中年大叔不確定道：「可能是女生懷孕或者是生病了，女生的爸爸要男生賠幾百萬。現在的年輕人真是不小心，安全措施不做好，找女朋友也不看一下對方的家庭背景。這不就是敲詐嗎？」

賀泱雲抽出紙筆，追問道：「你還記得他們兩個長什麼樣子嗎？比較明顯的穿著打扮也可以，還有詳細的日期跟時間。」

「記得，也就一個多月前的事情。十八號或者十七號。」中年男人回憶道，「長頭髮的女生，穿著藍色的裙子。她爸爸穿得比較樸素，看起來是做體力活的。後來三個人就一起出去了，不知道去了哪裡。」

兩人記住特徵，立刻去找警衛拿監視器畫面。可惜社區的監視器畫面只保留一個月，他們需要的內容已經被刪除了。恢復資料過於麻煩，穹蒼想了想，轉而走去附近的銀行。

銀行監視器畫面的保留時間，通常會在一到兩個月，穹蒼進去詢問，發現這家銀行的儲存要求就是兩個月。

兩人按照日期進行翻找，順利在監視器畫面裡看見了丁希華，以及跟在他身邊的兩人。

監視器畫面裡，丁希華在櫃檯取了一部分現金，實際有多少看不太清楚。櫃檯人員把一個黑色袋子拿給他們，丁希華隨意一裹，爽快地交給中年男人。根據穹蒼的經驗，紙鈔的厚度應該是在五萬到七萬之間。

旁邊的女生似乎想攔，卻被中年男人呵斥回去。三人沒有說太多話，結伴離開了銀行。

在女生轉頭的時候，監視器清楚拍到了她的臉。

賀泱雲把畫面放大，然後截取出來，借了銀行的印表機列印出來。

賀泱雲原本想把圖片傳給同事，讓他們幫忙從資料庫裡篩選比對，穹蒼卻順手把圖片遞給旁邊的經理，問道：「你們認識這個人嗎？」

經理點頭道：「認識啊，大家都叫她夏夏。」

賀泱雲驚訝。這麼方便的嗎？

「這個女孩就是學校東門那家賣水果的老闆的女兒。平時都是她負責看店，不過已經有一段時間沒看見她了。她媽媽說她回鄉下了。」經理說：「我之前都會去她家買水果。認識之後，她經常幫我打折，或者送我一些已經熟成的水果。人很好，也特別可愛。好長時間沒看到她，我都要不習慣了。」

穹蒼問：「她年紀也不大，是在C大上學嗎？」

「不是。她弟弟在隔壁街的那家高職上學，她高中畢業後就來幫忙看店了。」經理唏噓道：「我看她挺可憐的，幫家人幹活沒有薪水，也沒得過好臉色。這麼大的孩子了，妳說是吧？以後該怎麼辦啊？我猜她的家人也不會幫她安排。我勸她多存點錢來銀行理財，替自己的未來做打算，有道理吧？」

穹蒼原本的表情是有些嚴肅的，不知道怎麼被戳中了笑點，嘴角翹了起來。

「笑什麼啊？我說的是事實。都是鄰居，看著多糟心，跟業績完全沒關係。何況她人真的不錯，大家都吃過她送的水果。」經理小心探問道：「她該不是犯了什麼罪吧？這筆錢……」

穹蒼說：「沒什麼。她是證人，我們有些事情想問她。」

「那就好。」經理點頭，壓低聲音，向二人檢舉道：「如果有勒索、詐騙之類的事情，肯定是她爸爸逼的。她爸這人手腳不乾淨，不管缺不缺錢，看見東西就想偷。他之前來我們銀行，還想順走我們客戶的手機，結果被警衛抓到了。」

賀決雲點了點頭，又跟這位熱情的職員打聽了夏夏平常的事。

在經理的眼中，夏夏是一個沉默膽小、容易害羞、老實本分，還有點自卑的女生。她在家中不受關注，沒什麼生存技能，頭腦也不是非常聰明，甚至有點木訥。不過說話輕聲細語，性格溫柔，如果換一個家庭背景，配上她姣好的五官，肯定是一個受歡迎的女生。

「不過她從前段時間開始，慢慢變漂亮了。」經理說：「剛來這裡開店的時候，她都不打扮，就用那種紅紅綠綠的橡皮筋，隨便綁個馬尾，穿的也是街邊那種幾百塊錢的T恤。出門直接踩個拖鞋，更不用說化妝了。我第一次去店裡見到她，都不相信她才十八歲。你看現在——」

她指了指列印出來的圖片，示意說：「知道護膚了，也開始講究穿搭，人也變得有自信了。去她店裡的客人基本上都是C大的學生，以前大家跟她講話，她都不敢抬頭，現在大家一起玩得挺開心的，畢竟都是同歲人嘛。」

照片上的女生的確讓人眼睛為之一亮。衣服修身得體，頭髮也燙得精緻，身材瘦瘦小小，看著我見猶憐，是很容易令人放鬆戒備的類型。

賀泱雲用手指蓋住夏夏手提包的位置，朝穹蒼伸出三根手指示意。

能讓賀泱雲有印象的包包，價格肯定不便宜。就算是仿冒品，恐怕也要好幾千塊。

經理說：「我問她是不是談戀愛了，她低頭笑笑的。」

穹蒼：「妳有問她的男朋友是誰嗎？」

「問了，可是她沒說。那個男生大概不是很喜歡她，她還是單戀呢。」經理拍手道：「我說這戀愛談得太值得了，她爸媽明顯不關心她，平時對她呼來喚去。她就算工作得再辛苦，到頭來恐怕也拿不到什麼東西。她能想明白，把自己裝扮得漂亮一點，找個好一點的男朋友，比在水果店做白工還要強。」

穹蒼指著圖片問：「妳記得這一天嗎？他們來領錢的時候，彼此之間有說過什麼嗎？」

經理搖頭：「這天不是我值班。而且銀行每天來往的客戶很多，這又是一個月前的事，大家應該都不記得了。」

穹蒼將東西收起，說：「謝謝。」

經理：「不會。」

兩人跟她聊了半個多小時，然後才離開銀行，前往水果店。

此時遊戲時間已經是黃昏了。最近日照時間短，太陽緩緩沉入地平線，天際線上剩下一片橙色的餘暉。

二人沿著紅藍色的透水磚，從學校周邊走過。

賀決雲整理一下經理給的資訊，猜測道：「她的男朋友是丁希華嗎？或者丁希華只是在玩弄她的感情。她懷孕了，丁希華要分手，於是她父親去找丁希華要錢。」

穹蒼搖頭：「不一定。丁希華的性格這麼假面，不該留下這麼大的錯漏。這種事情一旦曝光，他的名聲就全沒了。何況他家裡有錢，夏夏父親的第一個反應，不應該是逼婚嗎？怎麼會是敲詐呢？」

夕陽打出的陰影，為她臉上緊皺的眉眼增添了一分愁悶，賀決雲的目光順著路燈追到她明暗不定的臉上，不太真誠地笑道：「妳也有摸不準的時候？」

穹蒼半闔著眼，低聲說：「我不是摸不準，只是有種不太舒服的預感。」

賀決雲：「先不要想這麼多。」

水果店的位置很醒目，兩人今天路過數次。現在負責收銀的是一位中年婦女，從面相和年齡來看，應該是夏夏的母親。她的面前放著一部手機，聲音開到最大，正在看電視劇。

穹蒼走過去，敲了敲桌面，問道：「夏夏呢？」

阿姨頭也不抬道：「回鄉下了。」

「就算回鄉下，也該有個聯絡方式吧。」穹蒼摸出證件，擋在她的螢幕前面，「把手機號碼留下。」

阿姨這才抬高視線，正眼看向二人。

「你們找她幹什麼？」她生硬道：「夏夏現在不用手機了。」

穹蒼：「請妳仔細想想再回答。我們想找也不難，妳別平白幫我們增加工作量。我討厭別人騙我。」

阿姨撓著眉毛，有些抵觸，不太想告訴他們。她狡辯了數次，裝作很忙的樣子搪塞，還用一些語意不清的詞語來糊弄，把穹蒼原本就稀有的耐心消磨得一乾二淨。

有了先前的對比，穹蒼無法理解道：「為什麼要設置這樣的NPC？」

賀決雲學著她的樣子，擺出了痛苦的表情，說：「因為這就是基層員警的平常會碰到的人。」

穹蒼讓開位置，邀請賀決雲上陣。

賀決雲錯步上前，一手按住桌子，不客氣道：「我們現在找夏夏，只是想普通地問個口供。如果妳連地址都說不清楚，我們就回去換身警服，坐在妳門口慢慢聊，順便聯絡其他兄弟，陪你聊聊天、在街上逛逛，怎麼樣？二十四個小時夠妳組織語言，回憶細節了嗎？如果不夠，我們可以每天都抽空來。」

婦人終於老實了，不情願地說道：「她在家。」

賀泱雲：「地址。」

婦人吞吞吐吐地給出了答案。

賀泱雲記下，並朝穹蒼用眼神炫耀了下。

穹蒼嘆道：「我很失望。」這個社會太險惡了。

賀泱雲笑道：「妳還太年輕了。」

夏夏的住家離水果攤很近，二人步行前往，饒是如此，走到一半的時候，天色還是黑了。

夏夏住的房子要從小路進去，裡面沒有路燈，幾盞明黃色的窗戶亮著，但從入口往裡望去，還是有一種幽深的恐懼感。

穹蒼把手插進口袋，朝賀泱雲靠近了一點。賀泱雲卻突然止住腳步，讓她在路道口稍等片刻，自己小跑著進了附近的便利商店。

穹蒼靠在路燈的柱子上，片刻後，賀決雲拿了兩個手電筒出來。

他把東西遞給她，問道：「妳想要一個就好，還是要兩個都握在手裡才有安全感？」

穹蒼眨著眼睛，像是很認真地思考這個問題，然後才說：「我喜歡別人替我照著才有安全感。」

賀決雲笑道：「好吧，尊重女士的意願。」

他推開開關，一左一右地照著，把路面照得通明，走在前面，示意穹蒼跟上。

兩人進了路口，賀決雲盡責地開道，同時辨認路邊的門牌號碼。時不時還能聽見電視節目的聲音，營造出熱鬧的氣氛。

穹蒼莫名其妙地用頭頂了他一下。

賀決雲打了個趔趄，回頭道：「妳幹什麼？」

穹蒼說：「趨光。」

賀決雲：「啊？」

賀決雲刻意加快腳步，沒過多久，穹蒼追上來，又撞了他一下。

賀決雲：「……」這人到底是怕黑還是幼稚？

「你知道大部分的昆蟲為什麼會有趨光性嗎？」穹蒼笑得狡黠，說：「其實有很多假說，但都沒有定論。也就是說……不知道。」

「……妳還挺無聊的。」賀決雲說：「藉口找得挺妙的。」

穹蒼聳肩：「大部分的時候確實如此。」

賀決雲抬手揮了揮：「過來。」

穹蒼無所謂地靠近。

賀決雲把手電筒塞進她手裡。

穹蒼遺憾道：「尊重女士的意願呢？」

賀決雲彎下腰：「上來吧。」

穹蒼眼底閃過明顯的錯愕，只維持了一瞬又恢復正常。

賀決雲狀似不耐煩：「一……」

穹蒼迅速跳上去。

「我靠……」賀決雲被壓得悶哼一聲，把人撈住，轉了個方向指揮道：「照前面。」

穹蒼伏在他背上，由衷感慨道：「Q哥，你真好。」

可惜賀決雲看不見她的表情，哼道：「下次真要說我好，就不要叫我Q哥。」

穹蒼：「你難道不喜歡這個名字嗎？」

賀決雲大聲道：「難道妳覺得我會喜歡嗎？」

穹蒼坦然道：「當然。」

賀決雲惱羞成怒：「妳下去，馬上。」

穹蒼揮舞著手電筒，用手臂勒緊他的脖子，說：「到了，前面，就差十號了。」

賀決雲有些惱怒，卻還是把她帶到房子前才放她下來。

穹蒼站在旁邊，客氣道：「請。」

賀決雲瞥她一眼，大步流星地走上去。

放映室內，鍵盤快速按下又彈起，發出一節節清脆的撞擊。除此之外，就是各人迴避的沉默。

何川舟咳了聲，尷尬問道：「這是你們小老闆的女朋友嗎？」

「呃……」

幾位員工其實也不知道，但又不能肯定地說不是，畢竟誰都無法預知未來。

何川舟轉頭向謝奇夢尋求答案，謝奇夢也可恥地沉默了。他意外發現他與賀決雲之間的友誼無比虛假。

方起從眾人臉上看出端倪，叫道：「也太公私不分了吧？賀決雲這是藉職務之便把妹啊！」

何川舟理解道：「年輕人嘛。」

方起：年輕人隨便灑狗糧就可以被原諒了嗎？

副本內，賀泱雲站在夏夏的家門前，低頭看了一眼。屋裡的燈還亮著，從門縫底下透出。

賀泱雲按下門鈴，然而門鈴是壞的，改用手掌大力拍打。

粗獷的聲音從裡面傳來，中年男人大聲問道：「誰啊！」

賀泱雲說：「開個門。」

男人：「誰！」

賀泱雲聲音低了點：「社區管理員。」

男人神祕地從裡面探出頭，同時用身體把門抵住，意圖遮擋二人視線。

他的表情很疏離：「有事嗎？」

賀泱雲摸出證件給他查看：「刑警。」

中年男人聞言，聲音小了一些，氣勢也收斂了不少。

賀泱雲從口袋裡抽出紙，假意比對了一下上面的人臉，說：「就是你。你認識丁希華吧？有事問你。」

「他的事，問我幹什麼？」中年男人警覺道：「他該不會報警了吧？」

賀泱雲哂笑道：「你要是沒做什麼，怕他報警幹什麼？做賊心虛啊？」

中年男人急說：「那是他自願的啊！而且他們家本來就該出錢。我好好的一個女兒就這樣被他們糟蹋了！」

賀泱雲說：「可是根據我們的走訪調查發現，你跟你女兒的關係，應該不是很好吧？」

「我是她爸，我怎麼可能害她？我們是一家人，什麼叫關係不好？」男人不假思索地反駁道：「外面那些人的話能信嗎？他們就知道亂嚼舌根、挑撥離間。全是謠言！」

賀泱雲：「你覺得你合格了？」

中年男人：「當然！」

賀泱雲不欲與他多說：「讓一讓，我們想跟夏夏聊聊。」

中年男人偏頭朝裡看了一眼，表情遲疑，腳下寸步不讓。

賀泱雲好笑道：「怎麼，要我們站在門口，跟你聊你女兒懷孕的事啊？」

中年男人回過神來，說：「我女兒懷孕跟你們刑警有什麼關係？你們管得太寬了吧？」

「敲詐和謀殺，跟我們有關係。」

「什麼意思？」

「丁希華的父親死了。」賀泱雲說：「沒看新聞啊？」

中年男人瞬間黯淡下去的眼睛，以及開始顫抖的嘴唇，暴露了他此刻最真實的情緒。

「這……這跟我們沒關係啊。」男人急忙撇清，問道：「他是什麼時候死的，我們最近一直待在家裡，我們……」

他的聲音還在打顫，身後響起了一道沉重的落地聲。巨響接連震動數次，並逐漸拉遠，彷彿有什麼東西翻滾下樓，砸落在地，在安靜的夜色裡尤為突兀，幾乎震耳欲聾。中年男人的身體也伴隨著節奏打了個十分明顯的哆嗦。

穹蒼的身影一直隱沒在黑暗之中。聽見動靜之後，腳步挪動了下，然後快速朝著樓下跑去。

賀決雲回頭看了一眼，沒捕捉到穹蒼的身影，選擇跟中年男人衝進屋裡。

這一進去，他的腳步因為混亂的客廳停滯了一秒。

從客廳到臥室的位置，有一條粗長的繩子。繩子中段被什麼東西磨斷了，兩截就那麼擺在地上。客廳的窗戶大開，窗簾正被風撩得不斷飛揚。

「啊——啊！」

中年男人趴在窗臺，身體拚命朝下探去，嘴裡發出無意義的嘶吼。賀決雲聽見那淒厲的喊叫，終於明白過來，頓時全身寒毛聳立、頭皮發麻。他迅速轉身跑下樓查看情況。噠噠噠的腳步聲，配合著左右鄰居的議論，將空氣灼燒得滾燙且窒息。

賀決雲根本來不及深想，他只知道夏夏跳樓了。

當他跑到客廳窗戶的下方時，已經有一道人影蹲在傷患旁邊。她手上有光線亮起，正在撥打急救電話。

賀決雲停在她身邊，問道：「怎麼樣！」

穹蒼點了點頭，同時對著電話裡的人說話：「地址是XX……一名女性，從四樓墜落，運氣還算好，下面有幾個遮雨蓬和曬衣桿進行緩衝，初步檢查頭部沒有致命傷。但她現在懷有身孕，下體有少量出血症狀，呼吸微弱，無法確定身上的骨折情況和內臟出血的情況。附近沒有醫療專業人士，暫時無法隨意移動。」

她的情緒很好地傳染給了身邊的人。

對面的人說：『不要隨意移動，耐心等待醫師。傷者目前意識清醒嗎？』

穹蒼冷靜地說：「清醒。」

夏夏睜著眼睛，裡面水氣氤氳，瞳孔不停地轉動，從星空以及人臉上掃過。眼睛一眨，豆大的淚珠直接滾落。

穹蒼握住她的手，拇指安撫地摩娑著她的手背，得到一點微弱的回應。

「夏夏——」

中年男人大叫著撲了過來，想要抱住女兒。賀決雲眼疾手快，一把將他推開。

男人奮力掙扎：「你幹什麼！放開我！我女兒怎麼樣了！」

賀決雲揪著他的衣領把他按在地上，低聲喝道：「夠了！閉嘴！」

穹蒼說：「有時間在這裡發瘋，還不如去門口接一下醫護人員。」

兩個大男人後知後覺地發現了自己的用處。一個跑向路口接人，一個清理現場，疏散人群。

不到五分鐘，停靠在附近醫院的救護車就來了。醫護人員扛著擔架，一路飛奔至夏夏身旁，對她展開搶救，並火速將她送往醫院。

賀決雲開車跟在救護車後方，又一路跟著中年男人，來到手術室門口。大門緊閉，護理師來來往往，濃重的藥水味充斥在走道上。

中年男人頹喪地蹲在地上，用手揉搓著自己的腦袋，把原本就不太茂密的頭髮搓掉了一塊。

賀決雲踱步到他面前，高大的身影罩在他身上，面上陰沉如水，開口更是冷得發寒。「現在有空說說了，你用繩子把人綁在房間是什麼意思？」賀決雲壓抑著怒火，克制住想一腳踹過去的衝動，「你還有沒有人性？那是你女兒，而且懷有身孕！你是不把她當人，還是不把自己當人？」

中年男人低垂著頭，半晌才喃喃自語道：「我是為了她好，如果不是她要墮胎，我怎麼會這樣對她？」

端坐在休息位上的穹蒼轉過眼珠，面無表情地瞪著他。

賀決雲被氣笑了：「墮胎是女性的自由。除非你自己長個子宮幫她生，否則你有什麼資格替她做決定？」

「可是她不能墮胎啊，醫師說她墮胎會很危險，而且以後都不能生了。」

男人黃色的臉上布滿皺紋，淚水在昏黃的燈光中盈盈閃爍。此刻他終於有了點像父親的樣子。

「丁希華讓她去墮胎，她就去墮胎，她連命都可以不要了，怎麼能這樣？我有好好地跟她溝通，可是她瘋了，她已經被丁家人澈底洗腦了！」

穹蒼插話道：「她臉上的傷是怎麼來的？」

一句話讓中年男人所有聲音消失在喉嚨裡。他有些心虛道：「剛才摔的吧。」

穹蒼譏笑道：「你摔個一樣的給我看看。」

夏父囁嚅，無言良久。

賀決雲仰起頭，用力抹了把臉。

然而這個男人沒反思多久，又開始訴苦道：「我是為了她好。夏夏以前那麼乖、那麼懂事，我沒想到她居然會去賣……賺髒錢。她怎麼做得出這麼傷風敗俗的事情？你說，我能告訴別人嗎？我只能把她藏起來。我勸她她不聽，我是氣急了，想讓她清醒一點。換做是你，你說要怎麼辦？」

穹蒼聽著發笑，那乾巴巴的笑聲聽起來有些嚇人，她勾著唇角問道：「你覺得不忿是因為你女兒讓你丟臉了，還是她把錢都花在自己身上，沒有捐贈給一家的累贅？」

夏父猛地抬起頭，紅著眼睛道：「妳這話是什麼意思？妳這平白的誣陷也太難聽了吧！」

穹蒼說：「如果你真的只是怕丟人，為什麼還要去找丁希華敲詐數百萬？又為什麼要逼夏夏把孩子生下來？你收錢的樣子如此痛快，你的骨氣呢？」

夏父張了張嘴，穹蒼說：「不要說謊。你說謊的時候，臉上的肌肉走向十分猙獰，我都看得出來。」

夏父站起來，表情因為激動而緊繃，皺紋變得像石膏像一樣深刻。

「如果我有得選，妳覺得我會讓她去跟丁陶那個老男人嗎？她長得不漂亮嗎？找個好點的年輕人嫁了不就好了？她現在連孩子都有了，一輩子全毀了，到頭來還不是得依靠我？是她自甘墮落！」

賀決雲被這句話震住了。他眼皮跳了一下，又不敢將驚訝表現得太明顯，只能用眼神在穹蒼與夏父之間逡巡。

夏夏是丁陶的情婦？她懷的是丁陶的孩子？

難怪夏父帶著她去找丁希華敲詐，而不是逼婚。

穹蒼鎮定如常，諷刺依舊：「這不是從你身上學到的嗎？不是你無時無刻言傳身教，告訴她只要是個男人，就可以看不起她？她不是自甘墮落，她是一直卑微。她的自卑是你栽下的，她做的每一個選擇，背後都有你的努力。你還想用她的髒錢，你比她髒多了。」

「我沒有！」男人反駁道：「她是我女兒啊，我怎麼可能不希望她好！」

穹蒼說：「所有人都看得出來，你偏心你兒子。哪怕我第一次見到你，我也知道你在用你女兒的命，給你兒子換幾百萬。」

夏父：「比起別人家，我已經好很多了！她將來可以依靠她的丈夫，我兒子還小，我必須為他打算，但這不代表我就對我女兒不好！妳別把人想得那麼噁心！」

穹蒼也站了起來，直視著他的眼睛道：「那你就別口口聲聲把『公平』掛在嘴邊。就是你這種理所當然、自詡公平的態度才最令人噁心，從根本上糟蹋了『公平』這兩個字。」

穹蒼真要刺起人，一字一句都可以往人心最深的地方插去，不留一絲餘地。

她冷笑道：「你知不知道，她寧願放低自尊、不自重、不自愛，也想要擺脫你在她身上留下的烙印？你以為你是她父親，她崇拜你、感激你嗎？不，她可以義無反顧地從樓上跳下去，就說明她厭惡你。以致於她根本不珍惜你給她的這條命，以及有你出現過的那二十幾年的人生。」

夏父大受刺激，臉色漲紅：「妳——」

他握著拳頭衝上前，手臂上的青筋都爆了出來。賀決雲從看戲的狀態中一瞬切換，錯步過去，單手抵住他的胸口，警告道：「你敢動手試試！」

「你們懂什麼！你們又懂什麼！」夏父衝著穹蒼吼道：「丁家父子全是壞人，都在騙她！是她蠢，她居然那麼輕易就跟男人跑了！她被老男人包養，又喜歡上人家兒子。她知不知道人家父子倆都在看她的笑話？既然事情已經變成這樣，我讓她留筆錢防身不對嗎？我是為了她好啊！」

穹蒼上前道：「身為一個男人，你沒有擔當；身為一個父親，你不能給孩子依靠。你除了會說『我是為了你好』，你還做過什麼？就連這句話，也不是為了表述你愛她，而是為了逼她工作、讓她離不開你。但凡你能把你嘴上的真心多用兩分到行動上，她也不會糊里糊塗地跟一個男人跑了。」

穹蒼的語氣明明不激烈，卻極具諷刺。

「你說丁希華沒有一點好，就是個壞痞子，那為什麼夏夏還會被騙得鬼迷心竅？因為那個跟她生活了二十幾年的男人，比這個她才剛認識的壞痞子還要糟糕上千百倍。所以壞痞子但凡給她一點點關心，她就覺得他是好人。」穹蒼說：「你這個父親做得還不如死了算了。死了的話，她還能幻想自己本來可以有個腦子正常的父親，可是你活著，永遠都在提醒她，她是個從出生起就處處不如別人的悲劇。每當她犯錯，你不僅不安慰她，還要罵她蠢、說她活該，再用繩子綁著她，拿她換你一輩子也賺不到的鈔票。廢物！」

賀決雲望著穹蒼，除了點頭也不知道該做什麼。

他老是忘記穹蒼嘴毒起來的時候，是個極具殺傷力的人，只是她不常將自己的矛頭對準別人。雖然她看起來很軟弱，卻不曾被任何人打敗過。

遊戲裡的時間推進速度很快。幾人沉重呼吸之際，手術室的大門打開，夏夏被推了出來。

三人的注意力被轉移過去，穹蒼跟在病床兩側。

夏夏還醒著，只是沒什麼精神，她眼神黯淡、面無血色，宛如一夜蒼老，連頭髮都枯黃了。

推著病床的護理師說：「病人需要安靜，家屬可以探望，但請不要爭吵，也不可以刺激病人。」

穹蒼抿著唇，把剩下的話咽了回去。賀決雲也保持著安靜。夏父擠出一個位置，過去握住夏夏的手，哽咽：「夏夏啊，爸爸好擔心妳。」

夏夏看也不看他，努力把手抽了回來。

手心空蕩的一瞬間，夏父慌了。他看著陌生的女兒，感到手足無措。

他依舊認為自己是對的，他想念一家人曾經的生活方式。他不是對女兒沒有感情，生活了二十幾年的陌生人都會有感情。只是那種感情是膚淺的，值得他傷心，不值得他拚命。

穹蒼彎下腰問：「能跟妳聊聊嗎？」

夏夏記得她當時握著自己的感覺，點頭，聲音輕細道：「可以，但只能妳一個人。」

穹蒼：「好。」

夏父還在說：「囡囡啊，妳怎麼變成這個樣子……」

賀決雲自覺上前，捂住他的嘴，把人拖走，並對穹蒼比了個安心的手勢。

穹蒼把夏夏推進病房，關上房門。

屋裡只有她們兩個，夜燈照著，靜悄悄的，有種靜謐又安寧的感覺，時間流逝的速度彷彿變得緩慢。

「警察為什麼要來找我？」

夏夏的聲音跟水流一樣，低緩悅耳，哪怕帶著沙啞，也有股淡淡的甜味。

穹蒼說：「丁陶死了。」

「他死了……」夏夏很震驚。她睜大雙眼，沒有流露出悲傷的感情。她說：「不是我殺的。」

穹蒼：「我知道。」

夏夏說：「那就沒辦法了，我幫不了你們。」

穹蒼：「我只是想順便問問妳，丁希華這個人怎麼樣？」

光是提到這個名字，夏夏的表情就明媚了起來。她笑道：「希華哥人很好。」

穹蒼跟著放緩語氣，閒聊一般地問道：「你們是怎麼認識的？」

夏夏不用回憶，敘述般地把事情說出來。雖然輕描淡寫，可穹蒼覺得她在心裡回味過無數遍，一直藏在記憶裡最方便提取的地方。

「有人喝醉了來店裡鬧事，說我長得醜，對我動手動腳，是希華哥幫我教訓他們。他買了兩個火龍果，五十塊，可是他給了我兩百塊。」夏夏淺淺笑道：「他叫我不要把這件事告訴爸媽，把多的錢留給自己買東西。還說我把頭髮放下來的樣子更好看，讓我去買個漂亮的髮夾。」

穹蒼換了個姿勢。

「他人真的很好。」夏夏重複道。

這種陷入愛情的感覺，就像是夏天裡飄過叢林的一陣風，捉摸不透，又舒爽沁涼，讓她記了很久。

穹蒼在心裡搖頭，問道：「妳為什麼要用這種極端的方式墮胎？妳知道跳樓有多危險嗎？」

夏夏無聲流淚，啜泣道：「希華哥說他對我很失望。我第一次看到他露出那麼瞧不起我的眼神。我破壞了他的家庭，可就算是這樣，他也沒有罵我。我絕對不能把孩子生下來。我一定要讓這件事像是什麼都沒有發生過。」

她想起當天去找丁希華要錢的畫面，閉上眼睛抗拒道：「我好恨我爸，他殺了我一次。」

穹蒼欲言又止，跳過這個話題，問道：「妳是怎麼認識丁陶的？」

她擦了擦鼻子，強行平復情緒：「丁陶偶爾會來學校。他會在附近逛逛，然後我們就遇到了。他說我長得有點像他老婆年輕的時候，聲音也很好聽。」夏夏是真的後悔，聲音裡帶著悲痛，「我不知道他是希華哥的爸爸，否則我肯定不會跟他的。」

穹蒼：「妳很缺錢嗎？」

「我想變漂亮。」夏夏說：「希華哥很有錢，他身邊的人都很光鮮亮麗，我想要得到他的誇獎。我不想跟以前一樣邋裡邋遢。」

穹蒼：「他有在妳面前說過什麼衣服好看，什麼包包好看嗎？」

夏夏搖頭：「他不是那樣的人，是我自己虛榮。」

穹蒼觀察著她的表情，緩緩說道：「所以他有。他曾經無意地對妳說過，妳穿什麼牌子的衣服好看。或者在跟別人聊天的時候，說哪位女生漂亮，湊巧被妳聽見。對妳忽遠忽近、忽冷忽熱。在妳換上好看的服裝後就對妳溫柔，在妳打扮樸素的時候就對妳冷淡。對吧？」

夏夏還是說：「是我自己虛榮。」

穹蒼：「妳知道這世上有人會透過操縱別人的人生，來獲得快感嗎？」

夏夏堅持道：「他不是那樣的人！」

穹蒼簡直無話可說了。

「夏夏，夏女士。」穹蒼把身體前傾湊近她，最後勸告一句，「卑微是換不到平等和尊重的。妳越覺得自己可憐，就會發現自己變得更加可憐。不懂得保護自己，妳吸引到的全都是會傷害妳的人，因為最能狠下心捅自己一刀的……就是妳自己。」

夏夏：「我……」

穹蒼把她的被角往上拉了拉，說：「妳好好休息吧，我走了。」

第三章　魔鬼的產物

穹蒼面色不善地走出來，在門口停了一步。她理了理自己的衣領，對百無聊賴地坐著等待的賀決雲頷首示意，先行轉身離去。

夏父在第一時間起身，想走進病房，卻被緊跟著過來的護理師攔住往外推。

「家屬，病人現在需要休息，她不想見您……先生，我們要檢查了，請您出去一下……」

賀決雲聽著背後的聲音逐漸遠去，和穹蒼一起離開住院部大樓，回到車上。

醫院停車場的後方就是一片荒山，山上還有許多早年開發前留下的墳地，替這寂靜的時刻增添了淒涼感。

賀決雲不習慣這種陰晦不定的感覺，擰開車內的燈光，讓暖黃色充斥車廂，藉著這股溫暖的色調，問道：「妳們聊了什麼？」

「除了丁陶跟丁希華的事，我們沒有別的話題可以聊。」穹蒼側身繫上安全帶，吐出一口濁氣，說：「丁希華的學士學位跟碩士學位都是C大，他很早就認識了夏夏。他做人很完美，對外永遠親和友善、踏實聰慧。他家裡有錢、長得不錯，成績優異又受歡迎。在夏夏眼裡，是她欽慕仰望的對象。所以丁希華輕而易舉就獲得了她的好感。」

賀決雲迷惑道：「那……丁陶又是怎麼回事？」

「丁希華在發現這個女生喜歡自己後，就開始對她進行打擊、引導。利用自己的影響力，慢慢灌輸消費的思想給她。誘導一個沒有存款跟經濟來源的女生，去做一些喪失自尊的事情。」

穹蒼的瞳孔倒映著停車場的路燈，漆黑一片的眼眸裡閃過零星光點。

「丁希華很享受這個過程，他看著夏夏一個清純無知的女生，不過為了獲得他的一句讚美，不惜出賣自己年輕的肉體。他體會到了高人一等的掌控感。只是他萬萬沒想到的是，包養夏夏的人居然是他的父親，而且夏夏還懷孕了。」

賀決雲聽著都想要感慨一句命運。巧合居然能把這對父子聯繫在一起，並促使他們提前走向斷裂的結局。

對於丁家父子，他能毫不猶豫地說是活該，可在他們的戲劇裡，夏夏是無辜的。你可以說她太過軟弱，然而那種軟弱，似乎也是命運在起點的時候，就加諸在她身上且無法掙開的枷鎖。

人類從來都知道軟弱無用，可惜生來如此。

賀決雲順著她的推測往下說：「丁希華那麼驕傲的人，怎麼可能允許自己的家庭裡，多出一個同父異母的弟弟？比起對他言聽計從的夏夏，他更厭惡的應該是管不住自己欲望的丁陶。這種事情一旦習慣，就算沒有夏夏，也會有第二個。於是他暗示夏夏墮胎，設計殺害丁陶，並讓沈穗替他頂罪。」

穹蒼思忖片刻，緩緩搖了搖頭。

賀決雲問：「怎麼了？」

「說不來，但感覺沒有那麼簡單。」穹蒼半闔著眼，「如果說在丁希華眼中，兵不血刃是一種高級的手法，那麼自己參與犯罪，就是一種極為低級的手段。如果不是嚴重觸碰到他的利益，我想他不會刻意放低自己的級別，讓自己參與其中。」

賀決雲：「那是為了什麼？」

「不知道。但多半跟這件事有關係。」穹蒼低語自問，「到底是什麼讓他覺得，丁陶非死不可？」

而且目前還不曉得丁陶手上那張「謊言」的字條代表著什麼。他為什麼要做偽證陷害范淮？他是不是跟吳鳴一樣，有什麼不可告人的過往？

賀決雲腦海中閃過一個極具人性化反轉套路的想法：「會不會是……」

穹蒼鼓勵道：「隨便說，就當開闊思考。」

賀決雲忐忑中帶著躍躍欲試：「他真的愛上了夏夏？」

穹蒼琢磨了許久，評價道：「你跟那個年輕員警NPC一定很聊得來。」

賀決雲：「……」妳鄙視的表述可真含蓄。

賀決雲快速轉移話題，問道：「現在要去會會丁希華嗎？」

穹蒼：「好。」

放映室內，幾位心理醫師都在分析夏夏跟丁希華。他們不知道這兩人之間的相處模式，無法像穹蒼那樣篤定丁希華究竟是刻意的引導，還是無意的影響。他們唯一的共識是，遇見像丁希華這樣的人，實在是太恐怖了。

人類的精神狀態其實脆弱且容易動搖，人生中遇到的每一個挫折都有可能殘留成能被攻擊的傷口。如果遇到像丁希華這樣的人，會在不知不覺中崩潰。

哪怕是最優秀的心理醫師，也無法將病人從受過的傷害中澈底解脫。這根本不是什麼有趣或值得驕傲的事。

方起捏著下巴，一臉嚴峻說：「就算丁希華本身有人格缺陷，但能夠發展到像今天這樣熟稔自然的程度，他應該不是第一次做案。他很聰明，挑選的是不會反抗、意志不堅的女生，透過自己天生的優勢，潛移默化地對其進行洗腦、控制。我覺得他在大學或是高中的時候有做過實驗，而且成功了。」

何川舟點頭：「我也是這樣認為，然而沒有證據。」

只涉及感情的案件，警方無法干涉。而且受害者跟夏夏一樣，根本意識不到對方的惡意。

何川舟說：「所以人還是要學會讓自己變得強大。」

賀決雲開車趕回警局。

夜裡的街道十分空曠，僅有寥寥幾輛車行駛在他們前面，不過閉眼休息一下的功夫，熟悉的大樓已經出現在他們眼前。

遊戲裡的時間快速推進，直接調到第二天早上。太陽從霧氣中冉冉升起，散出柔和的光芒。

穹蒼跟賀決雲走進審訊室，丁希華已經安安靜靜地坐在桌子對面。

穹蒼請下屬幫自己泡了杯咖啡，雖然沒什麼提神的作用，但看著就覺得有精神。

反正丁希華一直裝得很有禮貌，穹蒼索性翹起一條腿，把他晾在對面，先打一場遊戲提神。賀決雲也被她影響，在那裡百無聊賴地打哈欠。

兩人十分缺乏公務人員的正面形象。

丁希華歪頭等了他們一會兒，終於開口道：「久仰大名。」

那聲音不像是在審訊室裡響起的，帶著點微弱的電子音，還有一些細微的噪音。

穹蒼抬頭掃了天花板一眼，賀決雲坐正姿勢，提醒說：「他是真人。」

穹蒼這才看向對面的人。

丁希華的唇角噙著一抹意味深長的微笑，在穹蒼觀察他的時候，也同樣觀察著穹蒼。兩人互相對視，一個饒有興致，一個冷漠疏離。

穹蒼問道：「在看守所或是監獄裡，能看三天的遊戲直播嗎？」

賀決雲說：「妳在做夢？」

穹蒼把手機蓋到桌面上，緊緊盯著丁希華：「那你所謂的久仰大名是指什麼？我認識你嗎？」

「妳很有名的。很多人都想要挑戰，傳說中被解碼的感覺。」丁希華身體前傾，拉近了與她的距離，神祕道：「我原本不想參加三天的這場內測，聽起來簡直無趣又麻煩。是因為妳在，我才會過來。」

穹蒼皺了皺鼻子，回憶道：「這句話聽起來好熟悉啊，曾有人跟我說過類似的話，難道你們是朋友嗎？」

丁希華攤手。

穹蒼又否認道：「不，他比你厲害多了。如果你能跟著他好好學習，也許不會那麼快暴露。」

丁希華真誠求問：「妳是從什麼時候開始覺得我很可疑的？」

穹蒼說：「第一次見面的時候。」

「是嗎？」丁希華說：「誇張了吧？」

穹蒼驚訝道：「你的演技很差，難道你在沾沾自喜嗎？」

丁希華遺憾道：「那是我面對普通員警的反應，三天為我做的模型。如果知道對面的人是妳，我肯定會演得更像一點。」

穹蒼嗤笑出聲：「說白了，就是你根本不知道，一個正常人的情緒應該是怎麼樣。你不知道一個人在道德的邊緣掙扎時，應該是什麼樣的表現。就算你扮得再怎麼像是一個普通人，你的本質也只是個冷血動物。」

丁希華雙手交握，在空中用力一拍，說：「我很喜歡妳這種評價。」

賀決雲打了個冷顫，罵道：「你是變態吧？」

「你們本來就是這樣評價我的啊。庸人，最喜歡做的就是排除異己。尤其是對那些特別優秀、特別突出的人，可以極盡殘忍。」丁希華不以為意，遺憾道：「本來想陪你們玩遊戲的，誰叫你們把牌桌掀了。好可惜，最後抓到我的，居然是那麼一個女人。」

被他稱作「那麼一個女人」的何川舟，此時就站在螢幕外，冷眼看著裡面的男人。

謝奇夢用餘光小心地打量她。

何川舟大概是沒忍住，面無表情地回應了句：「我也沒想到，讓我費了這麼大功夫的，居然是這麼一個男人。」

技術員問：「要幫您傳達一下嗎？」

「不用了。」何川舟說：「我到時候當面跟他說。」

穹蒼觀察著面前這個狂傲的男人。

他的舉手投足，乃至散漫的眼神，都在展示他的不以為意，證明他並沒有為父親的死亡懺悔。

撕開彬彬有禮的外殼，這個冷酷無情的男人，似乎天生就沒有所謂的感情。

穹蒼視線下移，落在桌上。

然而他的眼神一直四處亂飄，唯獨錯開了桌子中間的位置。而桌子中間放著的，就是穹蒼剛才隨手甩下的檔案，丁陶多角度的死亡照片被夾在上面。

穹蒼冷不防開口道：「你在後悔吧。」

丁希華彷彿聽見了什麼很好笑的事情：「妳在說什麼？妳是認真的嗎？」

「殺了丁陶或許是你這輩子做過最衝動的事情，你其實很後悔。」穹蒼也笑了出來，肯定道：「丁陶死後，你開始回憶你們之間的溫情，你發現被他疼愛還算一件值得回憶的東西。」

丁希華：「不要做這麼無聊的事，穹蒼。妳這樣會讓我有點失望。」

穹蒼自顧自地說：「你把跟丁陶拍過的得獎照片擺在房間裡最矚目的地方，說明他對你的肯定讓你很開心。他是特別的。你不是真的沒有親情，你只是比較遲鈍。等你發現的時候，你已經殺了他。但你不會承認自己的錯誤，因為你偏執又自戀。」

丁希華低笑了兩聲。

「你把丁陶搬到荒地後，還伸手為他整理了衣服，所以雖然他的姿勢不太雅觀，但是他的穿著端正。如果你想要嫁禍給別人，你應該在他身上留下一點傷痕，以表明凶手對他的痛恨。然而你沒有。你真的犯了好多不應該的錯誤。」

丁希華比出暫停的手勢：「能不能不要做出這種沒有根據的推理？」

穹蒼勾起唇角，十分有把握地說：「你有沒有發現，從副本開始到現在，你一次都沒說過『爸爸』兩個字。一次都沒有。作為一個死了父親的兒子，你難道不知道，應該要向警方敘述一下你們父子之間的深厚感情嗎？可是你迴避了。你甚至連他的稱呼都不願意提起。」

她譏笑道：「丁希華，看來你的內心，比你的想法還要誠實啊。」

丁希華臉上的笑容終於不見了。他望著穹蒼，舔了舔乾澀的嘴唇，眼底的淡然被一股瘋捲而來的憤怒代替。

「那妳找到指證我的證據了嗎？」丁希華問：「妳知道我的殺人動機嗎？」

穹蒼遲緩了一秒，說道：「你沒放在眼裡的獵物，懷上了你父親的孩子，是不是很可悲的一件事？」

「很牽強，老師。」丁希華搖頭，「妳別告訴我這就是妳的答案。」

穹蒼抬手向外推拒，明確地拒絕道：「我不是你的老師，我討厭你們這些人隨便認老師。」

丁希華問：「妳為什麼不正面回答我？」

穹蒼沉默。

丁希華瞬間開心起來，此刻的表情就像一位陽光的年輕人，他笑道：「妳不知道！」

穹蒼說：「我會知道的。」

兩人陷入討論僵局，穹蒼的手機突兀地響了起來。

穹蒼就喜歡這種沒有廣告、沒有騷擾、沒有詐騙，每次提示都是送劇情的手機。

來電顯示是穹蒼的同事，丁希華的眼神明顯暗了一下。

穹蒼拿著手機起身，走到審訊室外。

『隊長，妳之前不是讓我去查丁希華的資料嗎？還順便讓我查他身邊人對他的評價。』

對面的人翻動著筆記本，紙張唰唰的聲音透過話筒傳了過來。

『沒什麼問題啊。丁希華的老師對他評價普遍正面，他們一家人的口碑都不錯。丁陶搬到現在的房子後，跟鄰居的關係也挺好的，經常會送些工廠的小禮物或者沒發完的員工福利給他們。至於丁希華，據悉跟他父親一直很親近。他們……』

「搬家？」穹蒼打斷她問：「丁陶他們是什麼時候搬家的？」

『嗯……』對面的人說：『房產的落戶時間是十三年前，購入時間再往前推一年，實際應該是在……』

穹蒼想起丁陶家裡那間被鎖住的兒童房。它看起來沒有任何特別的地方，丁陶卻將其牢牢鎖住，且跟封印一樣鮮少踏足。

裡面的床鋪用具，都是適合七歲以下的兒童，款式也非常嶄新。即便是在十三四年前，丁希華也已經是個十幾歲的少年了。

穹蒼問：「如果是你，你搬到了新家，會把兒子曾經睡過的兒童床和家具搬過去鎖起來嗎？」

對面的人茫然道：『我神經病啊？』

穹蒼說：「那你幫我查一下，丁家是不是還有第二個孩子。」

『不會吧？』對面的同事驚訝道：『檔案裡沒有任何記錄啊，他們一家也從來沒有提過。』

「七歲前早夭，應該是個男孩。」穹蒼幽深的眼睛望著走道深處，腦海中的畫面漸漸明朗。她補充道：「死亡原因是意外，是丁陶的私生子。」

同事說：『好，我馬上去查。』

穹蒼重新走進來，丁希華盯著她，目光中帶著急切。

穹蒼說：「別著急。」

她把兩個藍色的杯子擺在桌上，問道：「你喜歡藍色嗎？」

丁希華搖頭。

「太好了。」穹蒼將另一杯推給賀決雲，「本來就不是幫你準備的。」

丁希華說：「妳再不快一點，我就要去吃晚飯了。」

場外，何川舟貼心地說：「那就讓他們快一點。」

穹蒼的手機再次響起，她看著螢幕，笑道：「謝謝你幫我催進度。」

賀決雲不明所以。

穹蒼再次拿著手機走出審訊室，接通電話。

『隊長，太神了！妳說得沒錯，丁陶的確還有一個兒子！』

對面的員警因為激動，一口氣說了出來。

『我們讓其他同事去詢問丁陶的鄰居，那位鄰居說，很久以前，大概是丁陶剛搬到新家一年多後，他突然帶了一個小男生回來，說是他兒子，以前因為身體不好所以待在鄉下，現在帶回來了。孩子大概五歲左右，個子小小的，特別聽話懂事。結果沒住多久，那個小孩就過世了，據說是因為意外。屍體運回來後，馬上就送去火化。從那之後，丁陶就再也沒提起過這個孩子的事，大家也不敢在他面前說，慢慢就沒什麼人知道了。』

穹蒼問：「當時他們一家人的關係好嗎？」

員警說：『關係應該不錯。丁陶一向很寵孩子，又捨得花錢。那時候他的事業做的很大，買了很多禮物給兒子。加上丁希華對外一直表現得很懂事，經常幫忙照顧弟弟。鄰居看他們相處，完全不知道那孩子是丁陶的私生子！』

或許是因為疲憊，穹蒼的眼皮一直在跳。她按住自己的左眼繼續問道：「能確認那個孩子的身分了嗎？」

員警打字的速度很快：『那位鄰居說，因為小朋友跟他們家孩子的年齡差不多，去樓下散步的時候偶爾會玩在一起，她拍過兩人的合照，我等等會把圖片傳給妳。』

『我們根據照片查了當年的死亡記錄，確認了一個身分。董軒軒，五歲，跟丁陶做過親子鑑定，確認是父子關係，也是他認領了董軒軒的屍體。丁陶原本想把董軒軒的戶口轉到自己名下，結果手續還沒辦完，孩子就死了，所以檔案裡沒有記錄。』

穹蒼轉了個方向，面對著牆壁，問道：「董軒軒原來的監護人是誰？」

員警說：『資料上寫的是他媽媽。』

穹蒼問：「為什麼放棄他的監護權？」

『還在查，這個要翻很久以前的記錄了。不過……』對面的人說著頓了下，繼續道：『根據鄰居的口供，她說她記得有個看起來挺年輕的女人，去過丁陶家裡找人，差點就把孩子帶走了。因為時間隔得太遠，她也不知道究竟是自己做夢夢到的，還是真的遇過。』

穹蒼咬著嘴唇上的死皮，斟酌過後說道：「你現在先把有用的資料整理一下拿過，交給賀哥。然後把沈穗帶去空的審訊室，賀決雲待會兒就過去。另外，再查一下董軒軒母親的檔案，確認當初撫養權的轉移情況，以及董軒軒死後她的心理狀況。」

對面的人答道：『明白，我這就去看看。』

「辛苦了。」

穹蒼結束通話後回到審訊室，看見賀決雲正在跟丁希華大眼瞪小眼。

丁希華有著高智商人群的自傲，不想和他說話。賀決雲有著普通人的尊嚴，也不想跟他說話。

於是當穹蒼再次出現的時候，兩人都把目光投向她，那眼神中有著希冀跟依靠，讓穹蒼瞬間對自己的身分產生懷疑。

穹蒼走過去，拍了拍賀決雲的肩膀，並沒有刻意壓低聲音，說道：「你去見一見沈穗。」

賀決雲仰頭：「我去見沈穗幹什麼？」

穹蒼說：「去看一遍資料你就知道了，你很適合跟她打交道。」

「妳是認真的？」

「嗯。」

賀決雲懷疑她是為了支開自己才這麼說的，卻還是收拾東西，起身出去。

丁希華瞥著他的背影，欠揍地說：「終於只剩我們兩個了。」

穹蒼不給面子：「外面看直播的不是人嗎？」

丁希華：「起碼他們沒那麼礙眼。」

穹蒼移開賀決雲的椅子，坐到丁希華的正對面。她手肘撐在桌上，交叉的雙手遮住了半張臉，認真地注視著對方。

「你恐怕很快就會覺得，最礙眼的人其實是我。」

賀決雲在走廊上等了沒多久，同事就小跑著把檔案送了過來。

他半信半疑地打開一看，立刻被裡面龐大的資訊量驚呆了，感覺自己跟毛利小五郎一樣睡過了關鍵劇情，差別在於他全程都很清醒。

他粗略地把口供記錄掃了一遍，從中讀出關鍵的線索，在腦海裡整理歸納後，慢慢地闔上資料夾。

賀決雲拿著手裡的東西，心裡很不是滋味。

三天這外掛未免也開得太大了吧？這才幾分鐘的功夫，就把檔案調出來了？

參數過於不真實，擾亂遊戲平衡，說得過去嗎？

賀決雲抬起頭，對著虛空嚴肅警告了句：「宋紓，你不要太過分，控制一下。」

外頭被點名的技術員十分委屈。這跟他有什麼關係？造成精神傷害是要補償薪水的。

現在的老闆都這麼不合格嗎？

緊接著，賀決雲收到了一串長長的文字訊息，裡面是針對資料給出的解讀跟分析。

來自穹蒼。

饒是有點彆扭，賀決雲還是聽從穹蒼的安排，第一時間去會見沈穗。

沈穗滿臉憔悴，應該是徹夜未眠。因為沒有化妝，她眼下的青色已經腫成一圈，讓她看起來衰老了不少。

這個注重美麗的女人，此時已經顧不上自己的外貌，她頹然地垮著肩膀，無力道：「我不是已經說了嗎?你們還想要問我什麼?人是我殺的，計畫是我定的，做一切壞事的人都是我。剩下的事，你們去跟我的律師聊吧。」

賀泱雲沒有說話。他翻開檔案，從裡面拿出一張照片舉在手裡，看得很仔細，反覆盯著一分鐘左右，才把照片放下。

他翻轉了下照片，讓它正對著沈穗，說道：「他長得很可愛，對吧？」

小男生的確長得很可愛。明明不胖，臉頰卻鼓鼓的，一雙眼睛尤其大，漆黑又有神。頭髮略微枯黃，但是皮膚很白。穿著一件短褲，坐在社區的遊樂場玩沙子。

沈穗看清上面的人，整張臉瞬間變得蒼白，她臉上血色盡褪，下意識朝後退去，椅子在地上摩擦出刺耳的噪音，讓她差點摔倒。

賀泱雲把照片收回來，問道：「妳為什麼這麼害怕他？」

沈穗用雙手捂住自己的耳朵。

賀泱雲冷靜地說：「說明妳也知道他不是意外死亡的，對吧。」

沈穗雙手顫抖，裝作沒聽見。

這個遭遇丈夫去世，協助兒子拋屍，在審問中無數次承認自己是凶手的女人，已經在精神崩潰的邊緣。她強烈抗拒所有新的資訊，尤其是能讓她感受到危險的事物。

她打從心底不願意回憶這段過去，然而現實卻跟開了閘的洪水猛獸一樣朝她襲來，幾乎要把她淹沒。

賀決雲念著上面的資料：「董軒軒，暑假和丁希華及其朋友去水庫玩水，結果因為不擅游泳，被水流沖走，發現時已經溺水身亡。」他翻過一頁，繼續道：「丁陶的私生子。死亡時才五歲，第二天被人發現死在下游處。腳上丟失了一隻鞋子，皮膚已被泡發。這是發現他時的照片。」

「不要——」

沈穗尖叫了聲，拒絕去看照片。她低下頭，呼吸間帶上痛苦的抽噎。

賀決雲平和地問道：「那麼小的孩子，聰明、懂事，就算他不是妳親生的，妳也忍心嗎？」

沈穗捂著臉，肩膀聳動，喉腔裡發出難以壓抑的嗚咽。

賀決雲靜靜地看著，最後還是抽出兩張紙巾遞過去。

「你們太小看警方了。只要我們想查，我們肯定查得到。畢竟那個時候，丁希華才十三歲而已，肯定會留下很多痕跡。」

沈穗垂死掙扎道：「我不知道你在說什麼。」

賀決雲沒有在意，只是根據穹蒼傳過來的訊息問道：「我只是有點好奇。一個十三歲且早熟冷靜的少年，為什麼會突然決定動手殺人？董軒軒當時只有五歲，眾人對他的評價都是聽話、懂事。他願意跟著哥哥出門玩耍，說明他是喜歡丁希華的。那麼丁希華痛下殺手的理由是什麼？是因為憎恨還是畏懼？是害怕董軒軒影響他的家庭地位？亦或是……為了幫助某個人維持家庭穩定？」

沈穗完全不懂得掩飾自己的情緒，或者她此時的狀態，已經讓她沒有那樣的心力。她的反應清晰又直接，因為賀決雲的話不時顫抖。

賀決雲說：「雖然丁希華感情淡薄，缺乏同理心且性情陰暗，但他並沒有暴力虐待的欲望。比起親自殺人，他更喜歡利用自身的優越感去掌控。」

十三歲的丁希華，應該發現了自己與他人的不同，正處於想要努力改變自己、融入社會的階段。然而他身邊許多同歲人的價值觀尚未成熟。他們的情緒容易激動，對世界的看法片面且富有攻擊性，讓丁希華沒有良好的學習目標。

他或許無法清晰分辨別人話語裡的情緒，究竟是真的計畫，還是純粹的宣洩。但他會本能地尋求環境穩定，好讓自己不安的情緒得到寄託。

如果那些煩躁、混亂的資訊來自於他最親近的母親，激烈地在他身邊頻繁出現。或許會為了討好他的家人，做出背離社會道德的行為。

賀決雲說：「妳知道嗎，人類的底線一旦被觸及，就很難再維持。只要殺過一個人，就會逐漸失去對生命的敬畏。自此從強烈的恐懼，逐漸轉變成興奮、麻木。如果他們當初沒有殺第一個人，說不定還能做一輩子的普通人。」

沈穗不住敲著自己的腦袋，卻不出聲。賀泱雲上前握住她的手腕，迫使她停止。

沈穗抬起頭，布滿血絲的眼睛淌下連串的眼淚，糊滿了整張臉。

「對……」她艱難地開口，「是我唆使的。」

沈穗再次被拉回十多年前的場景裡，一幕幕尚且清晰。

她不知道自己當時為什麼會有那麼強烈的情緒。無論是恨意還是憤怒，亦或是委屈，都極為劇烈，哪怕過去那麼久，她依舊記得那種胸腔被填滿的窒息。

她的內心每天都在歇斯底里地狂號，而丁陶不以為意，為了避開爭吵，主動與她疏離。那些無法排解的憤怒，在不斷的積累中膨脹到了極點，最終讓她失去判斷力，說出無比惡毒的話。

她明明知道那樣是不對的，大概只有「鬼使神差」這個詞可以形容了。人一旦衝動，就會朝不可挽回的方向奔去，絲毫不顧後果。

她不免去想，如果當時丁陶能好好寬慰她兩句，表現出足夠的尊重，讓她把那股不平之氣發洩出去，或許什麼事都不會發生。偏偏所有的遺憾和可惜造就了今天的結果，彷彿一切都是早已註定的報應。

沈穗被那些亂七八糟的想法淹沒，又哭又笑，就聽見賀泱雲問：「妳就那麼討厭董軒住進妳家裡嗎？如果妳真的討厭，妳大可以拒絕或者直說。還是說，妳真的認為這件事情的罪魁禍首，是一個沒有行為能力的五歲小孩？」

沈穗慘澹地扯了扯嘴角，說道：「所有女人都會討厭家裡有個喜歡自作主張的男人。什麼叫家？家就是由自己人組成的一個團體。董軒軒不是我的兒子，他還是我丈夫背叛我的證明，我為什麼要接受他？你們男人是不是都認為，只要自己在家裡有足夠的話語權，妻子就一定能接受這樣的事情？」沈穗捂著胸口，喘不過氣：「不可能！你討厭一個人，就算你們生活得再久，你還是會討厭他！這是習慣不了的！」

賀決雲說：「那妳應該很討厭妳丈夫。」

「但他是自己人！我拿他當家人！」沈穗激動道：「一個人在遷怒的時候是沒有道理的。為什麼會覺得只要是涉及感情的事情，我一定會講道理？所以我討厭董軒軒！丁陶對他越好，我就越討厭他。他表現得越懂事、得到越多人的誇獎，我就越厭惡他！」

賀決雲被她的瘋狂震驚，無法將她與之前那個軟弱的婦人聯想在一起。一個正處在轉變期的丁希華，每天面對這樣的她，又會變成什麼樣子？

賀決雲乾澀問道：「就因為他不是妳的孩子？」

「對！」沈穗飛快地說道：「因為他沒有經過我的允許就來到了我家！因為他和所有人都相處得很好，所以把我變成了外人！外人！我的人生被他毀了！」

審訊室和放映室內，都是一片寂靜。

謝奇夢聽見一陣沉重的呼吸聲，等到回過神來，才發現原來是自己發出的。

不知道為什麼，這些話讓他感到一陣恐慌。穹蒼當初也是這麼毫無徵兆地來到他家，但是他們相處得並不好。

那段時光已經特別遙遠，甚至讓他感到陌生。畢竟穹蒼只在他家住了一小段時間而已。

謝奇夢正在回憶，察覺何川舟回頭看了他一眼。他回看過去，那極具穿透力的眼神讓他渾身緊繃，吞了口唾沫。

何川舟說：「很多人的情緒都是不冷靜的，這就是為什麼有許多案件，如果單從動機的角度，是無法確認凶手的。案件的背後有著各種令人啼笑皆非的理由。能夠掌控情緒、保持冷靜，其實不一定是個缺點。如果丁希華從小就能得到正確的引導，或許會成為優秀的刑警或司法人員。當然，敏銳的情緒感知同樣是一種天賦……嗯，會努力也是一種天賦。」

謝奇夢：「……」

總感覺那句話是她絞盡腦汁、為了安慰自己才勉強補上去的？

賀決雲等沈穗痛哭一陣，逐漸穩定下來，才繼續和她說話。

「妳那時候跟丁希華說了什麼？」

提到自己的兒子，沈穗又變得低落。她整個人彷彿沉到谷底，聲音也變得縹緲。

「從很早以前，我就知道希華跟普通的小孩不太一樣。他不怎麼哭，也不怎麼受別人情緒的影響。特別聰明、懂事、獨立。我以為這些是優點，是我教得好。我覺得他特別早熟，十幾歲的時候，就已經像個小大人了。」

「董軒軒剛冒出來的時候，我整個人都呆掉了。希華平常要上學，丁陶白天不在家，董軒軒還沒辦好手續，不能去幼稚園，就算有保姆，我還是會經常看見他。他有很多壞習慣，他媽媽的經濟條件不好，自顧不暇，根本沒辦法好好教他，還經常打罵他，但是……」

沈穗低著頭，眼淚再次流下。

「但他跟希華完全不一樣，他對別人的情緒特別敏感，看見我的時候總是小心翼翼。雖然知道我討厭他，可是……」沈穗抿了抿唇角，諷刺地笑了起來，「他發現我難過，還是會走到我身邊安慰我。會對我笑，然後抱著我的腿，送吃的給我。我萬萬沒想到，在這個家裡真正關心我的居然是他。」

董軒軒總是像蜜蜂一樣在她身邊轉來轉去。頂著一張可愛的臉不停地傻笑。他叫自己丁媽媽，說她長得好看，還說他的母親人也很好，他有點想回家。

他母親哪裡好？他母親跟她一樣是個不負責任的人。

就因為他母親的無常，他從很小的時候就知道不要做讓人傷心的事，要討好那些失格的大人。見到他沈穗才知道，什麼才是真正的早熟。

賀泱雲問：「那妳為什麼還要……」

「我其實不討厭他，我只是恨丁陶。丁陶喜歡這個兒子，我就刻意挑他最難受的話說。」沈穗雙手捂著臉，聲音哽咽到幾乎聽不清楚，「丁陶不接我的電話。希華早熟，他以為他是成熟，所以我會跟他說，讓他轉告他爸爸，也希望他能幫我勸一勸。我會跟他抱怨，我衝動的時候特別口不擇言，我以為他不會當真。」

沈穗神色恍惚：「那時候希華問過我好幾次，是不是董軒軒消失，我們家就可以恢復正常了。我都回答『是』。我說你爸現在把心放在他身上，你不可以把他當弟弟。然後……」

賀泱雲見她說不下去，主動把後半段補充完：「沒過多久，他就死了。」

沈穗點頭。

沈穗永遠記得，她和丁陶聞訊趕到河邊時，丁希華站在岸上，冷眼旁觀這一切。他緊皺著眉頭，卻不是因為悲傷，而是因為困惑。與他同歲的幾個孩子已經慌了，連語言都表達不清楚，幾個女孩子更是哭得快要暈厥。

沈穗看著丁希華，在第一時間明白，是自己的兒子殺了董軒軒。

那一刻，她感受到全身被冰涼包裹，努力張開嘴，竟啞然失聲。

她抬手狠狠抽了自己一耳光，意識到自己犯下了什麼樣的錯誤。可是她不敢說出來。

沈穗說：「董軒軒很聽他的話，他當時把人帶到一個相對隱蔽的位置，卻還是被附近一個來釣魚的村民看見了。」

「丁陶沒有辦法，這是他唯一的兒子。他只能讓律師出面，買通那位村民。因為希華未滿十四歲，就算說出來也不用承擔刑事責任，何況那個人根本就沒有證據。所以村民收下錢就走了。」

當時丁希華牽著她的手，問她：「那個人為什麼要這樣看著我？」

他的冷漠跟迷茫，讓沈穗感到有些可怕。這個少年根本不清楚什麼是殺人、什麼是死亡。身為成年人的她知道，可她卻不知道該如何向丁希華解釋這件事。

她抓著丁希華的肩膀，告訴他要裝作很傷心的樣子，要跟同學一樣張皇失措，他要扮演好一個正常人，永遠把這件事埋在心裡，不可以告訴任何人。

丁希華問她：「我不是正常人嗎？」

沈穗那時候快要瘋了，她覺得自己也是半個凶手，一閉上眼睛，腦海裡就全是董軒軒的臉。她不敢相信丁希華會做出這種事情。

她本來就沒什麼抗壓性，聲音不受控制，脫口而出地回答他：「你不是啊！」

她已經忘了丁希華當初的反應，應該是很失望、很難過。他聽她的話，悲傷地送走了董軒軒，從此再也沒有提過。他跟董軒軒一樣，學會看人臉色、討好他人。

「我希望我們都能忘掉這件事，像是什麼都沒發生過一樣。」沈穗的目光沒有焦距，「可是好難啊，不行。我對他的戒備，他察覺到了。」

所以丁希華才會在房間裡擺放那麼多照片，因為他正常的家庭，從此只存在在照片裡。

他的本意明明是為了挽回，他聽從了母親給他的建議。

沈穗癱軟在桌上，輕聲道：「我不敢再跟他說那些話，甚至不敢隨便跟他說話。幸好他後來就住校了。我好不容易走出來，原本都已經過去……十二年了……沒想到又開始了。」

賀決雲深吸一口氣，忍不住搖頭道：「他從你們身上，學到了最糟糕的東西。」

憎恨、惡毒、謊言、冷漠、自私、不負責任……

他就像被母親利用，然後無情地拋棄，失去了原本還可以維繫的家庭，也失去了融入這個世界的機會。

也許他就是在這件事情裡明白，親自殺人不是一個好選擇，玩弄人心更為快樂。他能從別人痛苦與沉迷中得到對自己少年時期的補償。

賀決雲低頭確認一遍時間，發現董軒軒的死亡時間，就在丁陶阻擋救護車通行，導致洪俊的妻子錯失搶救時機的前兩天。

丁陶喪子，聽見救護車上的司機在喊孕婦急救，突然起了卑劣的心情，所以沒有禮讓，又促成了一起新的悲劇。

賀決雲放下文件，五味雜陳道：「沈穗，妳真的沒資格做母親。」

沈穗啜泣：「我知道我錯了，可是我不知道該怎麼改。你說我該怎麼辦？」

「那丁陶呢？妳又殺了他。」賀決雲說：「妳是真的感到後悔嗎？還是永遠都在找藉口逃避？」

沈穗抬起頭，透過朦朧的雙眼望向他。

賀決雲低緩的聲線，猶如催眠一般撩撥她的神經。

「妳殺了他兒子，又殺了他。到最後連真相都不留給他。沈穗，這樣的壓力，妳背得起嗎？」

第四章　勝券在握

另一邊房間。穹蒼與丁希華對視許久，除了最初的兩聲招呼，就沒再出聲。

丁希華問：「妳不跟我聊聊嗎？」

「我想跟你聊聊。但是我在想，我應該要從哪裡說起。」穹蒼隨意找了個話題，「你的監獄生活如何？」

丁希華淡笑：「妳就這麼勝券在握？」

穹蒼說：「你本來就輸了啊。你不是正在享受你的監獄改造生活嗎？」

「我未必輸了。」丁希華伸手示意，囂張道：「我最多蹲個五年，或者十年。等我出來的時候，我還很年輕。我在裡面一定會好好改造，學習知識，不會再犯同樣的錯誤。世界是為我們這些天才準備的。什麼叫天才？就是從出生開始，註定要比普通人高一等。妳說對吧？」

穹蒼點了點頭，覺得很有道理，她說：「既然如此，不如跟你聊聊我學生的事情吧。」

丁希華笑了起來，靠在桌上，露出認真聽講的表情：「早有耳聞，我很感興趣。」

穹蒼懶散地斜坐在椅子上，翹起一條腿，在腹中思考語言。

丁希華期待地看著她。

穹蒼終於想好，以一派悠閒的腔調開口：「范淮……其實沒什麼好說的，你應該很熟悉。你父親出於某種原因，曾幫他做過偽證，為他的入獄送上關鍵的助攻。而在范淮出獄後，你又幫忙殺死了你父親這最後一個人證。為范淮的平反關上了最後一扇門。」

「我不知道。他……」丁希華的喉結滾了滾，才把後面的字吐出來，「我爸爸已經死了。我不知道他當年做過什麼。我那時候還小。我會殺了他，只是一場意外。」

穹蒼說：「是嗎？我只是覺得命運的巧合，令人感到不可思議。」

丁希華撇撇嘴，說：「妳是在奚落我，還是在諷刺我？妳不是在聊妳的學生嗎？」

穹蒼做了個手勢，示意他稍安勿躁。

「除了范淮，我還有一個學生，讓我印象深刻。」穹蒼說：「他跟你有點像。他非常聰明，有輕微的社交障礙，平時沉默寡言，不擅拒絕。他有著超乎常人的空間邏輯能力和數學計算能力，所以他的數學成績特別好。」穹蒼幾不可聞地嘆了口氣，「但是，一個有著天才頭腦的人，不一定有足夠的經濟頭腦。縱然他十分聰明，卻還是做著最普通、最尋常的統計工作。每個月拿四萬多塊的薪水，為了房子、車子、婚姻、家人四處奔波。因為性格的關係，他經常替同事做繁重的工作，卻等不到升遷機會。他的生活過得很不開心。」

丁希華說：「能力不僅僅包括智力。單純而不會運用的能力，是會被電腦取代的。」

「你說得沒錯。」穹蒼道：「他是一個很完美的學生。認真謙虛地對待師長、友善溫柔地對待同學。性格甚至可以說有一點懦弱，即便受到類似欺凌和勒索的行為，他也會選擇逆來順受。他討厭說話、討厭交流、討厭表現、討厭競爭。有時候我光是看著他，都能感受到他身上的疲憊。」

丁希華兩手環胸，說：「這樣聽下來，我不認為我有哪裡跟他很像。」

穹蒼豎起一根食指，讓他不用著急，接著道：「就算是我，也從來沒有在他臉上看見任何類似怨懟、憎惡、痛恨之類的情緒。他臉上的每一寸肌肉，每一個表情，都在描述他是一個老好人。他在漫長的社會教育中，根據他人的行為表現，很好地學會了偽裝自己。完美地扮演著他幫自己設定的人設。」

丁希華不以為意道：「不好意思，如果是我的話，我更喜歡高調的人設。」

「他享受別人對他的評價，也享受躲在網路背後，看著所有不明真相的人對凶犯進行最惡毒的唾罵，卻又一次次與他擦肩而過。可以說他沉迷於此。這種極端的反差，帶給他無與倫比的成就感。」穹蒼張開雙臂，「看，我一直站在所有人的面前，誰又能認出我是真正的凶手？所有的社會精英人士，都在接受他的愚弄。」

丁希華換了個姿勢，歪頭看她。

「而他最享受的，是不停出現在我面前。因為他認為那是最具有挑戰性的事情。他很崇拜我，準確來說是膜拜，甚至將我視作神明。」穹蒼露出些許無奈的神色，「從第一次動手，到警方正式把他抓捕歸案，在這四年間，他一共殺了二十三個人。為了表示對我虔誠的信仰，他裝飾凶案現場，留下了許多關於我的線索。導致我被警方嚴密監視了三個月，連上課都得不到自由。無論我如何幫他們進行分析，他們都堅定不移地認為我才是真正的凶手。當時的我甚至懷疑，這是某個極度憎恨我的仇人對我的報復。」

丁希華悶聲笑了出來，說：「這樣拙劣的手法，難道不應該在第一時間排除妳的嫌疑嗎？」

穹蒼也笑：「說真的，我很討厭那樣的感覺，因為看著一群蒼蠅在你面前亂晃，任何人都會感到厭煩。我希望他們能聰明一點，就算不夠聰明，也要學會聽取意見。不要隨隨便便受人挑唆，就被玩弄在鼓掌之中。更可怕的是，直到現在，他們都還有人以為，是我在幕後唆使我的學生犯罪，像盯著一匹惡狼一樣地盯著我，每年都要對我進行沒用的犯罪傾向測驗。如果心理測驗真的有用，連我的學生都可以避開，他們為什麼會認為我會過不了考核？」

丁希華點頭：「所以能力不同的人是難以交流的。我們的世界不一樣。」

穹蒼喝了口水，繼續道：「他在被行刑前要求見我一面。我去跟他聊了很久，然後我發現他就是一個極盡自私、卑劣，又懦弱的男人，他的所作所為，跟他的天分沒有絲毫關係，不過是多了一個自我安慰的理由。」穹蒼很失望地說：「他跟你不一樣。他沒有帥氣的外表、殷實的家庭和社交的手段。他就是一個普通平凡且性格陰鬱，處處被人看不起的失敗男人。所以他透過殺人，享受支配生命的快樂。因為人在面對死亡的時候，會捨棄尊嚴，低低伏在地上懇求他放過自己。他把自己被欺辱的憤懣，全部發洩在那些死者的身上。」

丁希華說：「本質，只能欺淩弱小。」

穹蒼說：「對，他挑選的所有殺害對象，要麼是社會底層，要麼是單身獨居。從孤苦無依的老朽到背井離鄉的工人，亦或是無法申訴的性工作者。這樣死者就不會在第一時間被發現，警方會錯失很多重要的證據。他見到我的時候，已經變成像癮君子一樣的瘋子。他喊我過去，只是為了問我一句話。」

丁希華：「他問妳什麼？」

「他問我，他是不是表現得很完美。似乎在尋求我的肯定，我覺得很莫名其妙。」

穹蒼說：「我說不是。因為正常人不會在每次微笑的時候，都保持同一個弧度。他從殺害第一個人開始，就已經走在了變態的路上。」

丁希華一直盯著她的眼睛，越發覺得她的眼神幽暗深邃，與之對視，會有種被漩渦吸收的錯覺。

他指著自己的腦袋，突然問道：「傳說是真的嗎？妳真的能看見嗎？是線條、數字，還是其他的？」

穹蒼思考了一會兒，回答道：「都有吧，再加上一點感覺。所以不要在我面前說謊，我看得出來。」

「真是奇蹟。」丁希華讚嘆道：「簡直就像上帝特別修改過的佳作。」

穹蒼哂笑道：「你也可以自己往地上撞一把，看看上帝願不願意為你開這扇窗。印證一下你的幸運。」

丁希華搖頭：「我從小就不幸運。」

「難道我就幸運嗎？」穹蒼聳肩，指向自己的腦袋，「我這個傷，可是我親生母親打的。」

丁希華指著自己的胸口：「我這裡的傷，也是我親生母親打的。」

謝奇夢聽見這段對話的時候愣了下，回憶起很久以前被他忽略的細節，臉上露出困惑的表情。

何川舟直接問道：「他們在說什麼？什麼線條？」

方起解釋說：「極少數人在左腦受傷後，視覺和感知會出現變化。比如有些人會對角度的變化特別敏感，有些人可以直接看見曲面的切線，而有些人的世界裡，會出現對應著顏色、線條、物品的編碼。穹蒼小時候腦部受過創傷，治癒後留下了一點後遺症。」

何川舟驚嘆道：「她真的能看見嗎？」

「可以啊。一個雜亂的房間，她只要看過一遍，就算你只動了其中一支鋼筆她也能發現。她會說光線不一樣了。但她到底能看見什麼，她從來不告訴我。」方起說著，瞥了謝奇夢一眼，「不過某些人會認為，這是在裝神弄鬼吧。」

謝奇夢沉默，內心混亂如麻。

何川舟恍然大悟道：「難怪，丁希華說有很多人會喜歡挑戰被解碼的感覺。她的天賦會吸引變態啊。」

方起：「……」雖然事實證明是如此，但為什麼聽起來這麼奇怪？

穹蒼還沒來得及與丁希華探討同病相憐的感觸，放在桌上的手機突然響了起來。鈴聲震碎了二人之間的和諧氣氛，丁希華危險地瞇起眼睛。

穹蒼拿起手機，直接掛斷，並用訊息跟對面交流。

丁希華沒有打擾她，靜靜地看著她打字。等她重新放下手機，才刻意避開案件的話題，問道：「妳的學生聽起來沒有任何優點，妳是真心覺得我跟他很像嗎？」

「他的性格、背景、環境、條件都跟你截然不同。但是……」穹蒼的眼神裡帶著凌厲，直直刺去，一字一句道：「我知道，你們是同一種人。」

丁希華憤怒道：「妳是在羞辱我？」

穹蒼說：「他曾經是一個很老實的人，雖然有一段不算單純的童年，但最後會發展成這樣，並不是必然。他到死都不知道，他是被人挑唆洗腦，誤入歧途。他以為自己主宰了命運，其實不過是別人作樂的棋子而已。蠢貨傷害弱者，而真正的天才更喜歡玩弄天才。這樣才有挑戰性，不是嗎？」

丁希華好笑道：「妳覺得我也是嗎？」

穹蒼認真地說：「你是啊。因為你在無意間說出了跟他一模一樣的話。出於教師的直覺，我不得不懷疑你們師出同門。」

丁希華的臉色瞬間陰沉下來，眼神充滿殺氣，猶如暴雨來襲前面對天敵的猛獸。

穹蒼說：「你那麼認真打聽他的事，難道不是已經有了依稀的預感嗎？」

穹蒼說完後，審訊室內陷入一片死寂。

許久，丁希華目光閃爍，不知是堅定還是逃避地說道：「不可能。」

穹蒼不以為意地笑了下：「人類是會排外的，即便那不是他們的本意，但對於許多高智商人群來講，他們還是能明顯感受到與普通人的格格不入。無論是思考的邏輯、說話的方式、理性與感性的權衡，都會出現一定的偏差。幸運的人會得到包容，進而適應習慣。至於不幸運的人，會被現實一棍打醒，游離在世界之外。很遺憾你是第二種。而人是會尋找同類的。」

穹蒼指手指向他，那根極具存在感的手指，將他的注意力全部吸引在一個緊繃的點，猶如即將被點燃的導火線。

穹蒼：「你在被沈穗傷害後，是不是試圖在世界上尋找第二個跟自己一樣的人？你確定你找到的是同類，不是獵人？」

丁希華瞳孔顫動，一半被掩藏在眼皮底下，目光似劍地從下方瞪她：「哪裡一樣？」

穹蒼攤手：「你剛才說『世界是為我們這些天才準備的，什麼叫天才，就是註定比普通人高一等』、『庸人，最喜歡做的就是排除異己。尤其是對那些特別優秀、特別突出的人，可以極盡殘忍』、『很多人都想要挑戰，被妳解碼的感覺』。而我那個愚蠢的學生也說過幾乎一模一樣的話。大概只有聽過，才會有高度相似的語言描述。」

丁希華的唇角弧度抿緊。

「這些思想代表著什麼？你應該很清楚吧。」穹蒼用手指比劃，在空中畫了一個圈，「設定一個條件，將你們歸為同類，給予孤獨的人對團體的歸屬感。打壓異類，拔高自身，提升你們對自己智商的認同感。扮演人設、偽裝情緒，在融入普通的社會後，享受愚弄他人的快樂。設立目標，指定標準，讓你們朝著靶子進擊，證實自己的實力。那個靶子就是我，對吧？說白了，這就是一個洗腦遊戲，或者說高級直銷。引誘你們的不是金錢，而是你們最缺乏的愉悅感。」

丁希華脖子上的青筋外突，身上的肌肉顯示出他此刻的憤怒，他的喉結用力滾動，然而臉上的表情還是一派平靜，這是他多年訓練出來的技巧。

穹蒼繼續道：「你不是第一個，也不會是最後一個。這項專案肯定從很早以前就開始了。也許范淮身在其中，可是他的表現並沒有讓對方滿意，哪怕他遇見再多不公平的事，他的目標依舊是做一名普通人。所以對方步步緊逼，想要將范淮這隻不在他計畫之內的獵物圈入自己的牢籠。而你，就是他用來訓練范淮的另一隻獵物。」

丁希華嗤笑一聲：「呵，這樣說顯得我很蠢。」

穹蒼低沉道：「當時我就覺得巧合，為什麼范淮會選擇我做他的老師呢？他說是因為在監獄裡看見一本關於我的書。所謂的巧合或許並不單純，只是連他自己都沒有意識到。有人想把他推向我，有人想把我推向你們。」

丁希華自嘲道：「你們清醒地抵抗，而我卻沉淪了？」

穹蒼看著他，垂下視線。

其實，她以前根本不在乎要做一個什麼樣人。好人？壞人？在她眼中根本沒有明確的差異。她只需要做一個站在法律線以上，能確保自己平安生活的人就可以了。

她對傷害別人沒有興趣，可她的過往不曾給予她多少溫情，她沒有救世濟人的目標。和普通人相比，她像是一個手握武器的人，她不太平順的童年增加了她的危險性，她吸引罪犯的特質使她手上的刀鋒變得更銳利。所以眾人恐懼她、戒備她、誤會她。

她有著普通人都有的不平跟憤懣，在她心智還不成熟的時候，經歷這一切，也會出現不樂觀、不正面的情緒波動。只有「不能殺人」這條準則，是她不可動搖的底線。

後來她遇見江淩。江淩告訴她「不能殺人」不應該作為底線，人應該是更有溫情的一種生物。責任、親情、正義……在法律以上，還有許多不能做和必須做的事情。

「丁希華。」穹蒼清楚地叫著他的名字，「你會發現，說明你還清醒。你的自尊允許你接受這樣的愚弄嗎？」

丁希華先是沉默，然後低下頭，讓人看不清表情。隨後他的肩膀傳來一陣聳動，然後慢慢大笑出聲。

房間裡迴盪著他刻意發出的笑聲，那笑聲刺耳又尖利，唯獨聽不見愉悅的感情。

「妳以為是誰促使我殺死我父親的？是我的狂妄大意，才讓她有機可乘。真是螳螂捕蟬，黃雀在後。妳說，到底誰才是這個遊戲裡真正的玩家？妳說得對，我只是一個獵物。」

穹蒼靜靜地看著他。

丁希華的笑聲停止，眼裡擠出了一點淚水。他用力抹了把臉，雙手撐在桌上站了起來。

「我沒有讓那麼多人看笑話的樂趣，穹蒼，來找我吧。」

穹蒼跟著站起身，對面的人影一陣閃動，先一步消失不見。

丁希華選擇強制登出，審訊室裡只留下她一個人。

何川舟上前，一掌拍在臺上。那劇烈的響動和她身上陰霾的氣息，讓正在恢復資料的技術員顫抖了一下。

技術員小聲道：「您別……別生氣？」

何川舟迅速恢復冷靜，整理起自己稍亂的頭髮，說：「沒什麼，摔了個跟頭。」

眾人緘默不敢出聲。

賀決雲坐在審訊室裡，原本是在引導沈穗的情緒，眼看就要成功，卻突然接到來自同事的電話。

劇情都快要弄清楚了，卻還會出現線索，應該是很關鍵的資訊。賀決雲本來想出去接電話，但看沈穗目前的狀態，似乎已經沒什麼需要避諱的地方，就直接接起電話。

『我們這邊的調查結果出來了，隊長讓我馬上送過去給你。』對面的同事說：『我現在簡單地說明一下。』

賀決雲：「請說。」

『董軒軒的生母叫董菲，後來改名為董茹姚。在四歲半之前，他一直跟著母親生活。』

賀決雲覺得這名字很耳熟，簡直呼之欲出，但是一時之間想不起來。

「你說董軒軒的母親是誰？」

『董茹姚啊。』對面的同事繼續道：『董茹姚沒什麼經濟背景，也沒有什麼職業技能。當年她的生活過得很窘迫，基本是靠打零工維生。可是因為董軒軒太小，她的工作經常會因為孩子出現變動，加上她身體又不好，每一份零工都不長久。或許是經濟壓力太大，她對孩子不是非常友善，出現過毆打的行為。不過看就醫情況不算嚴重，也不算頻繁。丁陶知道以後，就要求她把孩子的撫養權交給自己，並且不允許她進行探望。』

賀泱雲問：「她沒答應？」

『她答應了。丁陶申請轉移戶口的時候她有到場。』年輕的同事說：『不過一個母親應該很難忍住不去見自己的兒子吧？鄰居說她出現過兩次，沒過多久，董軒軒就死了。那段時間她的精神受到刺激，再後來就被人送回老家休養。丁陶匯了一筆錢給她，她很多年都沒出來。』

賀泱雲驚訝道：「兒子死了，她居然沒去找丁陶報仇？」

對面的青年說：『不知道。我再找人去她老家問問，不過太遠了。』

「因為丁陶跟她說……」沈穗突然沙啞地開口，「董軒軒是為了出去找她，才會出事的。」

賀泱雲愣了下，看向對面。

沈穗臉上還有兩道未乾的淚痕，讓她看起來尤為憔悴：「董軒軒有時候會偷偷跑出去見她，把自己的零食藏起來帶給她。丁陶就這樣罵她，說她害死了軒軒，她信了。」

「你們——」

賀泱雲簡直不知道該說什麼才好。然而罪魁禍首丁陶已經死了，對面這個女人也放棄了掙扎。指責、發洩，對他們來說都沒有任何意義。

這是董茹姚想要看到的結果嗎？可是這樣的結果依舊讓人感到無力。就像穹蒼說的那樣，以死亡為開場的遊戲，從一開始就沒有所謂的勝利。

電話那邊的人久久得不到回應，叫了一聲：『賀哥？』

「沒什麼。」賀決雲壓下複雜的心情，「你繼續說。」

『董茹姚在兩年前回來了，之後透過身邊人的介紹，找了一份清潔的工作。』對面的人說：『對，就是你們之前讓我查的那個董茹姚，洪俊的同事。昨天晚上被送進醫院的那一個。』

賀決雲心驚，有了某種極為強烈、令人不安的預感。

對面的同事繼續道：『我們查過，她之前的工作範圍就在臨近C大的街道。隊長讓我們聯絡了學校附近那個住宅區的警衛，確認她兼職過那個社區內部的清潔工作，每個月的薪水有四千八百塊，她做了一年多，後來辭職了。我們已經讓同事去醫院找她，也派人去學校附近做一次詳細排查。你有什麼想問的問題嗎？』

賀決雲抓了抓自己的頭髮，正想弄清楚這裡面的關鍵，就見穹蒼推開門走了進來。

賀決雲驟然忘了自己想問的話，茫然道：「妳怎麼過來了？審問結束了嗎？」

穹蒼說：「是啊，他離線了。」

賀決雲：「……」

我看起來像是很蠢的樣子嗎？

穹蒼在他身邊坐下，示意他把電話掛了。

「我來問吧。」穹蒼說：「我大概知道了。」

賀決雲掛斷電話，跟著落座。

穹蒼看著沈穗，沉沉吐出一口氣，一手摸上旁邊的水杯，用指甲摳它連接處的縫隙。

沈穗察覺到不對，問道：「董菲怎麼了？她回來了？這件事跟她有什麼關係？」

穹蒼說：「她不僅回來了，還報仇了。」

「跟她有什麼關係！」沈穗激動叫道：「人是我殺的！跟她有什麼關係！」

「因為這世上還有一種殺人方法，叫『借刀殺人』。」穹蒼把杯子外面的紙撕開，

「當然，主要還是因為你們家早已漏洞百出。」

病房的窗簾被拉開，光線照射進來。床上的人瞇了瞇眼，把手從被子裡伸出來。

洪俊轉過身，輕聲道：「小董，妳醒了？」

董茹姚點了點頭，長期的病痛折磨讓她瘦骨嶙峋，因為才剛經歷完搶救，此時唇色慘白。

洪俊小心翼翼地在她床邊坐下。

董茹姚雙眼無神，望著天花板，淺淺呼吸。

洪俊說：「丁陶死了。」

董茹姚的眼睛迸發出一道光芒，渾濁的雙目瞬間變得有神。她轉過頭，漆黑的瞳孔對準洪俊，一眨不眨地看著他點頭確認，臉上露出欣慰的笑容。

董茹姚終於完成了自己長久追求的夙願，肩膀鬆鬆地垂下，深陷在床褥之中悵然失神。

她釋懷了，折磨著她的惡夢和怨恨消散了，但支撐著她一直求生，與病魔抗爭的那股韌性同樣消失了。

她不曉得自己要在剩下的時間內做些什麼，因為她根本沒想過自己的未來。

不多時，眼淚打溼她的枕頭，她似乎忘了眨眼，如垂死之人一樣望著虛空。唯有亂了節奏的呼吸，能證明她此刻內心的不平靜。

洪俊幫她抽了張紙巾，又挪動著靠近了一點，在她旁邊擔心地問道：「妳沒事吧？」

董茹姚久久才回過神，對他笑道：「洪哥，謝謝你啊。」

洪俊說：「妳謝我什麼？」

董茹姚說：「如果不是遇到你，我覺得自己可能已經瘋了。」

洪俊聽見這句話，內心的酸澀跟著湧出。

沒人知道他心裡的苦悶，他的孤獨無法跟任何人訴說。他不需要大度，也不需要他人的憐憫，他願意做一個一輩子都放不下仇恨的陰暗之人。但是對於同樣失去了親人，且是同一個仇人的董茹姚，他莫名有種同病相憐的安慰，也有了可以傾訴的對象。

在那樣的境遇裡，遇見一個同是天涯淪落人的朋友，無異於深淵中伸出的一隻手。他是，董茹姚也是。

洪俊低頭，把紙巾對折，乾啞道：「會好起來的，現在已經結束了。」

董茹姚心想，她的人生早就結束了。延續的不過是行屍走肉而已。

她含淚回憶道：「我把軒軒交給丁陶的時候，我以為他能帶我兒子過上好生活。我那時候太難了，一塊錢得掰成兩半花。小孩子特別花錢，才生一次病，連底都掏空了。我不是一個合格的媽媽，我脾氣差、很忙、學歷低，沒辦法給他很好的生活，也沒辦法給他普通的教育。他跟著我，肯定會被人看不起，我實在沒辦法。我想他畢竟是丁陶的親兒子，丁陶會好好對待他。就算我不甘心，我也認了。」

「我讓他走的那一天，他不願意離開我，我還動手打了他……」董茹姚泣不成聲，「他叫我媽媽，我不回應他，冷著臉要趕他走。到了第二天，他端著早餐爬到我床上，說他愛我。我為什麼要趕他走？我要是再堅持一下，說不定他就不會死了。直到今天，他就快要成年了……這世界上怎麼會有我這樣的母親？」

洪俊看著痛心，差點陪她一起哭出聲，乾巴巴地安慰道：「這不是妳的錯，妳盡力了。」

「一想到軒軒，我就恨。我恨死丁陶了，我恨他們一家。」董茹姚抽噎道，「就算丁陶死了，我都不會原諒他！」

她抬手抹了把眼淚，似要將那個名字生生咬碎。

「他縱容他兒子殺害軒軒，我就讓他兒子殺了他。丁陶死得公平。這就是他們一家的報應！」

洪俊忍不住問出心中的疑惑：「妳到底是怎麼做到的？」

「如果妳真的了解妳兒子，妳就會知道。董茹姚想要接近丁希華其實很容易。」

穹蒼平靜的態度和沈穩的驚慌形成鮮明對比，她不急不緩地補充道：「哦，董茹姚就是董菲現在的新名字。」穹蒼說：「像丁希華這樣戒備多疑的性格，他會對主動幫助自己的人抱持懷疑，猜測對方接近自己的目的。但是他對外的形象一向是親和熱心、樂於助人，所以他對受過自己幫助的人，反而會放鬆警惕。因為那樣的人實在是太多了，他有受人愛戴的自信。」

「董茹姚的身分多麼卑微啊。清潔的工作本來就低人一階，學校附近魚龍混雜，人流量又大，她很容易受到各式各樣的欺負。說不定在某個無意間，丁希華幫助了她。於是二人有了第一次交集。」

賀決雲摩挲著下巴，聽得認真。沈穗也沉默下來。

她其實已經有所猜測，只是還不願意承認，等著穹蒼證實她的愚蠢。並期待能從中找到漏洞，再給自己一點自欺欺人的機會。

「董茹姚可以用一些小小的禮物，對丁希華表示感謝，並在無意間向他透露自己的狀況——漂泊外地，中年無子，惡疾纏身，無依無靠。她沒有任何需要圖謀或值得別人圖謀的地方。有時候這種一無所有又沒有未來的人，會讓人特別有安全感。」

「她接近丁希華的同時，還去接近丁陶。丁陶對她心中有愧，本身又品行不端，想要找到他的錯誤，簡直太簡單了。不過董茹姚沒有輕易動手，她的目的不是簡單的報仇。普通的家庭矛盾不足以推動她的計畫。她選擇等待，蒐集更多的線索。」

沈穗抱緊自己，感覺遍體生寒。

「一個母親的憤怒和耐心，超乎常人想像。她用了將近一年的時間，獲得了丁希華全然的信任。冒犯地說一句，比起二位疏離的家長，那段時間，董茹姚跟他的關係或許更為親近。」

「沒想到丁陶真的犯了一個天大的錯誤。他包養了夏夏，一個愛慕丁希華的女生，還弄大了人家的肚子。中年得子，他一定很開心。」

穹蒼拿過一旁的筆，夾在指尖轉了一圈。

黑色的陰影連成一個圓圈，猶如整個案件裡無一逃離的參與者，橫貫十二年，最終還是回到了原點。

「於是，董茹姚覺得，機會來了。」

董茹姚偏頭看著窗外，眼裡布滿血絲。

「丁陶剛見到我的時候，都快認不出我了。好長啊，我才發現原來十二年有那麼長。在我痛苦的時候，他卻過得那麼逍遙。」

「我找到機會告訴丁陶，說丁希華已經把當年的真相全部告訴我了，並嘲笑他養出了這麼一個兒子。我說丁希華向我叫囂，他當初可以殺了董軒軒，以後也可以殺了另一個私生子。他如果敢結婚，丁希華一定會報復他，這是他的報應。丁陶很憤怒，同時也很恐懼，因為他覺得自己的兒子真的有可能那樣做。他不停地被我騷擾，日復一日地思考、懷疑，慢慢的，恐懼占上風，他真的信了。」

董茹姚想起丁陶當初的模樣，笑了出來，繼續說：「我又把這些事情告訴丁希華，說無意間聽見丁陶想離婚。不只如此，這個不合格的父親還罵自己的兒子是一個變態，是一個殺人犯。我裝作很侷促地去向丁希華求證，他沒有起疑。他也是一個可憐人。越是享受不到父愛就越是奢望。最後發現奢望沒有著落的時候，就變成了失望。」

洪俊用一種既陌生又複雜的眼神看著她，對自己朋友的這種狀態感到迷惘，卻又不忍反駁。

董茹姚沉迷於自己的回憶，沒有察覺。

董茹姚的神情裡帶著瘋狂：「我挑撥他們父子之間的關係。他們兩個人都很驕傲，自以為是，從不認為會被我這樣一個沒文化的人欺騙，所以他們都信了。他們爆發了爭吵，最後不歡而散。丁陶就是一個脾氣暴躁又無情冷漠的男人，他現在有了新的孩子，逐漸對丁希華感到陌生。他們父子的感情本身就有裂縫，現在維持不住了。」

董茹姚諷刺道：「丁陶生氣的時候，會口不擇言，放各種狠話。比如用丁希華的過去來威脅他。而丁希華無法分辨。」

鏡頭從房間的角落照下，將審訊室內三人的神態照得一清二楚。

「董茹姚是個絕症病患，她進行煽動的時候，讓人難以分辨她的動機，看起來好像真的是為了丁希華好。」

穹蒼的語言極具畫面感，每一個音節都猶如敲在沈穗的心上。

「這時候洪俊可以登場，讓丁希華知道他父親有這樣一個不共戴天的仇人。」

「那段時間，恰好是范淮狙殺人證的輿論最熱烈的時候。董茹姚不停地挑唆，說她可以為了丁希華頂罪殺人，或者可以把罪行嫁禍給洪俊跟范淮。當語言形成的畫面出現的次數扁多，就算是丁希華，也會受到一定的影響。」

沈穗嘴唇顫動。

穹蒼說：「情緒的崩潰可能只在一瞬間。或許是酒後的一句失言，或許是無意間的一次指責，或許是為了警告的一句誇張表述，讓丁希華最終決定殺人。他已經殺過一次人，這件事情的影響是深遠且巨大的，比他預想得更加嚴重。或許他意識不到，但在真的面對這種情況的時候，他會更加輕易地選擇舉起屠刀。」

沈穗把頭磕在桌子上，喉嚨裡發出一陣怪音。

賀決雲聽得一愣一愣，不由懷疑道：「妳已經審問過董茹姚了嗎？那麼快？」

穹蒼瞥他一眼，示意他不要破壞氣氛。

她繼續對著沈穗道：「妳是她的母親，他卻沒有想過依靠妳。好遺憾啊。替他頂罪，是妳最後能表達母愛的方式了嗎？」

沈穗抬起頭，大聲叫道：「妳沒有證據！人是我殺的，不是我兒子！丁陶要跟我離婚，去養別的女人，我不允許，所以我殺了他！」

穹蒼：「如果這一切真的是董茹姚設計的，相信我，她會留下非常明確的證據。」

「對了，我把……」董茹姚勉強坐起身，氣息微弱地說：「我把和丁希華策劃嫁禍的過程錄了下來。我偷了你的安眠藥給丁希華，但我還在裡面加了別的白色藥片。只要法醫驗屍，肯定驗得出來。證據都被我藏在床頭的小盒子裡，你別忘了。」

洪俊大感不安道：「妳說這個幹什麼？算了，妳先休息吧。」

董茹姚說：「我病得那麼嚴重，我得告訴你。萬一我沒被救活，一切都白費了。」

洪俊喝斥道：「妳別胡說了！」

洪俊起身去倒水。

紅色的熱水壺被他提在手中，竟然拎不太穩。他的手一直在顫抖，熱水倒出了杯子，淋在他的手上。

洪俊連忙把東西放下。

他一邊用衣服擦著手背，一邊轉過身問道：「小董？是誰教妳這麼做的？到底是誰告訴妳這些事情的？妳不覺得那個人也很可怕嗎？」

董茹姚準備開口，渾身一震，彎腰猛烈地咳起來。

洪俊連忙過去，輕撫她的背幫她順氣，準備按下一旁的急救鈴。

「洪哥。」董茹姚費力發聲，反握住他的手，哭道：「我現在特別想吃蛋糕，我答應要買給軒軒，可是最後也沒帶他去。」

洪俊說：「我去買，我去。」

「洪哥，謝謝你。」董茹姚說：「我特別高興，你能理解我嗎？」

洪俊把手抽回來，攥緊了手指，重複道：「我去買，妳等著。」

他急匆匆地跑出病房。

審訊室裡的三人如對峙般沉默，等待所謂證據的出現。穹蒼手指有節奏的敲擊聲，構成了房間裡唯一的響動。

隨即，一道熟悉的手機鈴聲打破了沉默。

穹蒼直接打開擴音，年輕員警喘著粗氣的聲音響起。

『隊長！我們趕到醫院找董茹姚，可是她已經——已經跳樓了！』

沈穗抬起頭。

穹蒼問：「人怎麼樣？」

『正在搶救！』同事說：『但是我們找到了丁希華殺人的確切證據，現在正趕往董茹姚的家裡調查。』

穹蒼說：「我知道了。」

她抬起眼，看向對面沈穗灰敗的臉。

與此同時，副本通關的提示聲在兩人耳邊響起，螢幕畫面轉變成灰色。

賀決雲這才如夢初醒道：「結束了？這場也太快了吧？」他好像什麼都沒做啊？

眼看著穹蒼光榮退出副本，幾位技術員的心情大概跟賀決雲是一樣的。

宋紓懷疑自身道：「我好像沒幫她開外掛吧？她怎麼會知道董茹姚的供詞？」

「難道能看見的是……上帝視角？」

「你怎麼不說能看見鬼呢？」

「好快啊，有幾個玩家還在調查洪俊的家呢。這掉的不是一小段節奏啊。」

幾人嘀咕道：「要說開掛那也是何隊長讓我們開的，不關我們的事吧？我可不要寫報告。」

「要寫就叫宋紓寫。」

宋紓憤怒道：「你們做夢！」

內測會邀請多位能力評分各不相同的玩家一起參與，人物設定豐富，所以每個玩家結束副本的時間不同。長時間通關不了的人，管理員會給予一定提示。但真的鮮少出現如此快速通關的玩家。

方起開心地站起身，朝眾人揮手道：「不好意思，我先下班了，同仁們繼續加油，注意身體啊。」

他來時沒帶什麼東西，走時也是乾脆俐落。在眾人羨慕的目光裡，甩起外套就要離開。

何川舟動了一下，側步過去把他攔住。

方起面對她還是有點緊張：「何隊長，有事嗎？」

何川舟面無表情地問：「你要去休息室吃飯嗎？」

「大概吧？」方起說：「難得來一趟，免費的便宜幹嘛不占？」

何川舟轉過身，朝技術員們點了點頭。

謝奇夢一看她的表情，就知道她又有主意了。果然，就聽何川舟說：「大家都累了，今天結束，先去吃飯吧。」

幾位三天員工看了時間一眼，發現此時才下午三點。往常他們這些負責監察的刑警，不壓著玩家工作到八點捨不得放人，今天居然如此慷慨。

宋紓心裡發樂，用管理員的身分發了一則公告，宣布今日副本結束，所有玩家可以下線休息。

眾人開始收拾東西，何川舟拎了衣服，跟在方起身邊道：「我跟你一起過去。」

方起心想，妳如果饞的是我的身子那就算了，可妳饞的是我的客戶啊！

第五章　主謀的身分

穹蒼走下機器，坐到一側的沙發椅上。她習慣性地放空大腦，好讓不適感盡快散去。在恍惚發沉的思緒裡，她想起了范淮和丁希華，又想到了被黑雲層層疊疊覆蓋的真相。她覺得自己已經開始接近真相背後的世界，或許只差一個轉身。然而她不知道那個機會究竟在哪裡。

出神中，敲門聲響起，賀決雲在外面問道：「穹蒼，吃飯了嗎？」

這頗具家常氣息的問話，讓她一時沒反應過來，她愣了片刻才過去開門。

賀決雲見到她，指著走道前方詢問：「去吃飯？」

穹蒼說：「好。」

兩人結伴往樓下的休息室走去。

賀決雲控制著步伐與穹蒼並排，時不時轉頭看她，幾番欲言又止。為了掩飾尷尬，還抬手擦了擦鼻子。

穹蒼實在很難忽視他的各種小動作，在即將走進電梯前，她停下腳步，拿出手機對了下時間，說：「給你一個問答解惑的機會，從現在開始倒數三分鐘。說吧。」

賀決雲反而語塞了。

穹蒼抬眼看他，說：「我要開始計時了，你還不問嗎？」

賀決雲張了張嘴，第一句想問，她對董茹姚的分析是不是真的？然而這個念頭只閃過一瞬就被他壓了下去，因為如果猜測錯誤，副本根本不可能順利結束。

所以賀決雲轉口問道：「妳是怎麼從丁希華身上問出董茹姚的事情的？他願意配合妳？」

「他沒明講，我猜的。有些題目只要知道答案，就能倒推出整個過程。」穹蒼說：「他已經知道自己被人利用了，這對他來說，是一件極為可笑的事情。」

賀決雲半信半疑，又問：「那妳又是怎麼把丁希華逼到離線的？妳問出什麼……跟范淮有關的事情了嗎？」

穹蒼思考了下，回答：「他其實沒透露什麼，只是適當地表示了對我的崇拜，並誠摯地邀請我去探望他。」

賀決雲露出一言難盡的表情。

穹蒼驚訝：「你不相信？」

賀決雲木然地轉過臉，按下電梯鍵，說：「我已經對妳的冷笑話免疫了。人是會成長並且學習的，希望妳也可以與時俱進。」

穹蒼受教點頭，意味深長地稱讚道：「先生，你真是一位……非常有趣的人。我確實應該向你學習。」

電梯門打開，賀決雲大步邁出去。

穹蒼說：「你不繼續問了嗎？還不到一分鐘呢。」

賀決雲像是賭氣，又有點得意道：「沒意思，我可以自己看重播，還是先吃飯吧。」

穹蒼：「哦——」

賀決雲說：「女孩子不要老是陰陽怪氣的。」

兩人一路到了休息室，推門進去的時候，正好有一行人從另一邊進來。為首的女士環視一圈，快步朝著他們靠近。

賀決雲認出對方，訝然道：「何隊長？你們也結束了？現在還早呢，是不是我的員工提了什麼不合理的要求？」

何川舟笑說：「適當的肢體運動，可以幫助玩家開拓思考，我建議他們要適時地休息。」

賀決雲心想，妳們這些女強人是不是都有一張喜歡騙人的嘴？

他面上不顯，大方朝穹蒼介紹道：「這位就是負責這起案件的何隊長，何川舟。她是業內很有名的鐵娘子。穹蒼，幾位應該都認識。」

何川舟點頭，面帶微笑地看著穹蒼。

如果是認識她的人，就會知道她此刻的微笑有多麼可貴，然而穹蒼並沒有感受到，反而更加注意她身後的男人。

穹蒼朝乖巧沉默的謝奇夢點了點下巴，好笑道：「這是把家長帶來了？」

「妳——」謝奇夢輕而易舉地被挑起怒火，壓著聲音說：「別開玩笑好嗎？」

何川舟說：「既然大家都下來了，不如一起吃頓飯吧？順便交流交流。方醫師應該也想幫妳分析一下副本結果吧？」

方起：並沒有。

幾句話的功夫，門口已經熱鬧起來，其他玩家也相繼趕到，他們幾人杵在門口顯得有些奇怪。

穹蒼做了個邀請的手勢，示意他們自便，就近找了個位置把東西放下，並過去端自己的晚餐。

當五人順利圍著一張圓桌落座，桌上氣氛變得十分詭異。他們面面相覷，似乎連寒暄都變得生疏。尤其何川舟一直直勾勾地盯著穹蒼，而穹蒼不甘示弱地與她對視。兩人之間的電光導致桌上另外三人無法適從，恨不得遁地而逃。

好在附近的玩家開始密集起來，他們亢奮地討論著遊戲，讓這邊不至於太過安靜。

「我剛剛查了一下資料，凶手居然是丁希華？難道主謀不是沈穗嗎？丁希華看起來很老實啊。」

「不可能吧？警方當初的通告是這樣嗎？三夭是不是做了劇情調整？」

「遊戲不可能調整凶手的身分，警方的通告寫得很簡潔，只說丁希華跟沈穗聯合殺害丁陶……這是一齣大戲啊！」

「話說你們查到了哪一步了？」

「不對啊，我明明已經查到沈穗了，也證實是丁希華搬運死者，可是副本還沒結束。我都不知道接下來幹什麼。出來搜一下結果，結果還是沒想法。」

「還好這是副本，如果是現實，我就真的以為要結束了。副本好歹能強制你讀取隱藏任務。」

「線索給得太慢，感覺所有人都在說謊。我不停在學校、工廠、街道、警察局奔波，收穫寥寥，也不曉得該做什麼。」

謝奇夢一直不動聲色地偷聽，對此受到了安慰。

他果然還是正常的。

「對了，你們不知道有人通關了嗎？」

「失敗了？」一人奇怪道：「內測副本很難失敗吧？不是會有管理員在旁邊進行引導提示嗎？」

「什麼失敗？是通關了！我的心理醫師剛才告訴我……天才真是太可惡了。」

「不會吧？怎麼可能！那通關條件到底是什麼？找出沈穗的殺人動機？」

「我的心理醫師跟我說……你們找到董茹姚這號人物了嗎？」

幾人一陣沉默，然後頂著滿腦袋的問號懷疑人生道：

「啥？」

「她是誰啊？」

「我到現在連關鍵人物都沒摸到？我不相信！」

「哪位大神啊？和我交換一下電話號碼吧。」

何川舟被他們逗笑了，主動拿出手機，對穹蒼問道：「能不能跟妳要個聯絡方式？」

穹蒼朝賀決雲示意：「記一下賀先生的吧。我出門不喜歡帶手機，就算帶著手機也不喜歡看訊息。Q哥通常能及時聯絡到我。」

賀決雲吐槽道：「把我當成妳的經紀人啊？妳的面子也太大了吧？」

穹蒼正當道：「沒有金錢交易的友好關係，統稱為朋友。」

賀決雲：「……感謝妳這次沒有誇我是個好人。」

穹蒼：「你說的話我還是記得的。以後這種話，我只敢放在心裡說。」

何川舟打量著二人，若有所思，試探地說：「祝你們……」

方起危險地瞇起眼睛。

何川舟又變得有些不確定：「友誼長存？」

穹蒼歪過腦袋。

賀決雲：「……」這是什麼東西？

穹蒼笑道：「謝謝。」

穹蒼默默吃了一顆小番茄，又抬起頭說：「我沒有問沈穗關於范淮的事。」

談起工作，何川舟變得自在起來，她沒有避諱，直接告知：「據沈穗的原型說，范淮殺人的那天，丁陶喝了很多酒。他回來的時候醉醺醺的，第二天早上，連自己是怎麼回來的都不知道。但是在作證的時候，他並沒有提及這一點，還謊稱當時自己只喝了一小口酒，確認自己的大腦非常清醒。因為他不是第一目擊者，且提供的細節可信，所以法官採納了。」

穹蒼：「也就是說，丁陶的證詞應該存疑。」

何川舟點頭：「如果按照沈穗的說法，確實是這樣。但現在丁陶已經死亡，真相已經沒有人知道了。僅憑這一點，還不足以起訴。」

穹蒼偏過身，把自己小碟子裡的雞蛋分給了賀決雲，殷勤地放到他碗裡，說：「多吃一點，Q哥。」

賀決雲簡直受寵若驚。

穹蒼叮囑道：「公測的時候，麻煩把這一則資訊補上。」

賀決雲：「……」感覺自己像個工具人。

穹蒼說：「我對你一向很好，只是你不相信而已。不然你可以問問何隊長，丁希華下線前跟我說了什麼？」

賀決雲順著望過去。

何川舟不明所以，還是答道：「讓她過去看他。」

「你看。」穹蒼攤手，一臉「我總是忍辱負重」的模樣。

賀決雲嘀咕道：「不會吧？妳以前是在做直銷的嗎？」

「妳要去見丁希華嗎？」何川舟在對面說：「妳的協助給了我很多靈感。如果妳有什麼新的線索，希望妳也能提供給我們。我們的目標是一樣的。」

就算穹蒼再怎麼遲鈍，也能感受到面前這人對自己的好感。她點頭說：「我相信如此。」

何川舟再次掛起友善的笑臉，問道：「妳想做警察嗎？」

穹蒼愣了下，沒料到自己也能有這樣的待遇。她婉言拒絕道：「不了。我這人難以管束，也不喜歡被管束。」

何川舟說：「了解。」

謝奇夢的筷子懸在碗上，直到方起碰了他一下，他才回過神。

後面的飯局總算是融洽起來。不過何川舟很忙，沒吃兩口就帶著謝奇夢離開。

等桌上徹底沒了限制，方起立刻把餐巾一摔，湊近二人，質問道：「你們兩個！不會是同居了吧？」他指著賀決雲道：「妳知道他是誰嗎！」

賀決雲生起一股沒來由的緊張。他心想，穹蒼肯定早就知道了，雖然他沒說，卻表現得很明顯。又想自己的理由十分正當，沒什麼好心虛的，畢竟誰會在外招搖自己有錢人的身分？然而他下意識的反應還是掩飾。

賀決雲一把攬過方起，用手臂勒住他的脖子，笑罵道：「說什麼呢？」方起掙扎之下，差點把自己脖子扭了。

「他是誰？」穹蒼不以為意道：「一位非常有錢的朋友。」

方起：「他是——」

穹蒼悠悠強調：「重點在非常有錢，其次在朋友。」

方起一時語塞，畢竟這個認知毫無錯誤。

他說：「……他可真是太有錢了。」

「不要這樣說。」穹蒼也曾發出過類似的感慨，她嘆了口氣道：「是我們太窮罷了。」

方起：「……」

為何非要拉我比較？我一點都不想意識到自己的貧窮。

穹蒼讓他不要大驚小怪：「坐下來吃飯。」

「我去妳家兩次都沒找到人，從上次肉搜的事情發生後，我一直很擔心妳，妳是不是應該要跟我打聲招呼？」方起彎下腰，苦口婆心地對她說：「妳說妳有住的地方了，我以為是旅館，結果是他家？可是他……他又不安全！這個男人，只是看起來老實而已，背地裡還是有很多壞心思的！」

賀決雲聽不下去，這些都是汙衊：「夠了，你是不是管太多了？」

方起說：「我是為了她好！」

穹蒼跟賀決雲同時「嘖」了一聲。

他再次坐下，看起來不是很高興：「那妳打算住多久啊？」

穹蒼沒回答，只是說：「我要去見丁希華了。」

方起問：「什麼時候？」

穹蒼點亮手機，賀決雲直接說：「今天不可能。」

穹蒼遺憾道：「那就明天吧。反正現在大家都是自己人，時間什麼的都好說。」

方起正要吐槽她兩句，旁邊一直蠢蠢欲動的青年，終於按捺不住地湊過來，朝穹蒼申請道：「大神，能跟妳拍張照嗎？我就實話實說了，我想發文炫耀一下，因為我全家都很崇拜妳！」

賀決雲失笑：「你這是什麼奇怪的要求？」

穹蒼跟著不正經道：「我就喜歡你這樣真誠的人。」

青年高興叫道：「太好了，謝謝妳！只拍一張就好！」

圍觀眾人頓時回應，一窩蜂地湧了上來。

「我也想拍！」

「我就不一樣了，我一直都是看實力。」

「他們就是想蹭妳的熱度——」

方起見穹蒼瞬間被人群淹沒，主動告辭。

賀決雲閒著沒事，也決定回去寫報告。

等穹蒼甩開一群玩家回到家裡時，賀決雲還在公司裡加班。

空無一人的房間，與穹蒼原本的住處沒有多大的差別。木架上的幾個機器亮著待機的紅光，賀決雲怕她不習慣，把它們全部轉成面壁。

穹蒼坐在沙發上整理著思緒，而後走回房間拿出紙筆，開始記錄。

穹蒼有一個習慣，不管資訊是否有用，在未得出正確答案且缺乏進展的情況下，她會把所有讓她有印象的細節全部記錄下來。因為即便是她，有時候也無法完全相信自己的記憶。這種詳細又全面的復盤，能有效幫她避免遺失掉重要的細節。

她提筆寫了幾行關鍵字，再根據它們的特徵進行多次分類，尋找其中是否有交叉重疊的部分。

這個過程並沒有多大的意義，但是能讓先前雜亂的思緒變得更加順暢。在寫滿一桌沒用的資訊後，穹蒼終於開始有條不紊地製作人物關係圖。

晚間，賀決雲推門進來時，就見穹蒼面前擺著一疊紙，一心二用地坐在那裡看電視。背景聲開得很小，只能透過字幕來判斷主持人的發言。

賀決雲一看她這配置，多年自律的習慣都被她激發出來了。

「寫作業的時候就不要看電視。」

穹蒼目不轉睛，敷衍地說：「開拓思考。」

賀決雲注意到她在看美食節目，無奈道：「是思考還是食物啊？」

他一邊說，一面拿起桌上的筆記。

穹蒼狂野不羈的筆鋒，讓賀決雲差點沒認出來。他瞇著眼睛，把前後幾張拼在一起，仔細看了一遍，才發現她在寫什麼。

穹蒼把幾人的履歷全部列出，按照年份放在一起比對，尋找他們之間可能的交集。包括她知道的人物病症、就醫醫院，以及人生重大經歷。

她的資訊獲取管道比較狹窄，基本上依靠三天的劇情設定，但她的觀察能力夠強，許多關鍵問題都被她從細節裡翻出來了。

賀決雲說：「無論是范安、李毓佳、董茹姚還是丁希華，所有疑似有參與的人員，他們的職業跟經濟條件都不相同。甚至連出生、就學、工作的地方也不完全相同。你說這些人，在現實當中，可能連萍水相逢都做不到，究竟是怎麼被牽扯到同一個圈子的？」

賀決雲已經看過副本的重播了，而且是來來回回復盤了好幾次。他依舊對穹蒼的猜測感到不可思議。他私心希望這一切只是她多慮。但事實告訴他，當巧合出現的次數高達某個頻率，它就無法再被稱之為巧合。

賀決雲看著寫在紙張最後面的結論。

這幾個人，要麼本身有心理缺陷，要麼長期忍受著不平等、不正常的虐待，要麼有著強烈的、可以無視社會道德觀的仇恨。

除了心理都不健康以外，他們幾乎沒有別的共同點。

賀決雲自言自語道：「假如真的有這樣一個人，那他究竟是如何選擇並接近目標的呢？想要從茫茫人海之中，挑選出這些個例，保證他們的意志足夠堅定，對他們進行洗腦還不讓他們察覺，這不容易吧？」

穹蒼拿著遙控器按下暫停鍵，說：「當考察樣本的範圍過大，你無法有效取樣的時候，你可以等待他們主動過來找你。」

賀決雲遲疑：「心理醫師？」

穹蒼說：「可能吧。」

「可能性多大？」

穹蒼豎起兩根手指，果然道：「在我心裡不到百分之二十。對方或許是一位心理醫師，或許有一定的相關知識。但他跟這些人，應該不是在就診過程當中聯繫上的。」

她補充道：「范淮從來沒有去看過任何心理醫師。丁希華那麼驕傲的性格，也不太可能去看心理醫師，他從不認為自己有毛病。說實話精神疾病並不普及，能主動去找醫師的病人才是少數。如果是類似丁希華那樣驕傲的人，已經清楚認知到自己的精神世界有缺陷，在面對專業人士的時候反而會更加警惕。更何況……」

穹蒼起身，開始收拾桌上雜亂的東西。

「心理醫師的收費差距也很大，以董茹姚跟范安的經濟條件，她們可能承擔不起長期的心理輔導，也無法接受如此高額的支出。這樣選出來的目標，會有一定的侷限性，也極易被警方發現。」

的確如此。目前牽涉在內的幾人特徵差異過大，甚至像是被特地挑選過的不同群體，就像當年被推出來指證范淮的那五個人一樣，幕後人在用他們之間完全陌生的關係來迷惑眾人的視線。這也是警方多年來沒有察覺到的原因。

這說明對方非常謹慎，且接觸的樣本足夠龐大。

如果這些人在某家醫院有著相同的就診記錄，是很容易被查到的。

賀決雲幫她一起收拾桌上的東西，內心的天秤漸漸往危險的方向偏移，他窺覷著穹蒼的臉色，問道：「那妳認為，對方是什麼身分？」

穹蒼不確定地搖頭：「只要有刑事案件就一定會出現的人物。當事人會盡己所能提供最好的條件，哪怕是經濟方面有所侷限，也會不惜一切代價。」

賀決雲猜測：「員警，或者……律師？」

穹蒼說：「多起案件的發生地點，並不在同一個管轄區。」

賀決雲呢喃：「所以……」

他們其實已經有了類似的猜測，能接觸到這些事情的，不外乎就是體制內的公務人員，或者與涉案者直接相關的醫師、家人、律師等人。

「我不知道。」穹蒼把紙捲成桶狀，握在手裡，「范淮入獄後，江凌一直在幫他找知名律師想要起訴，因為一直沒能蒐集到足夠的證據，所以放棄了。我也不知道她究竟找過多少律師。丁陶因為生意的原因，長期都有跟律師接觸的可能，董軒軒的死亡案件他們沒有起訴。至於其他幾人，我查不到相關的資訊。如果是對方主動聯絡他們，而最終又沒有對某起案件進行正式起訴的話，這個人並不好找。」

賀決雲陷入沉思。

「如果真的如我所想，對方一定是個口碑不錯、形象正面、勝率拔高的知名律師。他可以同時為有錢人和窮人服務，說明他極具人道主義精神，所以向他求助的人會天真地信任他。而律師見過各種形形色色的人，懂得揣摩人心。」穹蒼說：「算了，我只是隨便說說。等明天見了丁希華再分析吧。」

賀決雲這才想起來，告訴她：「我幫妳約了明天下午兩點。」

穹蒼笑道：「誠摯地對你表示感謝。」

你可真是一個好人。

第二天是賀決雲開車送穹蒼過去的。賀決雲自己都沒意識到，他莫名其妙地成了面前這人的御用司機。不過他確實對旁聽這場會面很感興趣，畢竟這次就沒有重播功能了。

因為已經事先約好，流程走得很順利，丁希華一早就在等他們。賀決雲遞交了手續，跟穹蒼進去與他見面。

「丁希華」和三天模型裡的人長得不算相似，但氣質相近，仔細對比的話能輕易讓人把他們聯繫起來。甚至因為澈底甩脫了精神壓力，他的面貌變得更加有精神了，眼神清明，不再有以前那種謹慎疏離。

他笑著看向二人，朝他們揮了揮手，表示歡迎。

他自在的神態與表現，讓賀決雲半點也感受不到自己是在探監，更像是閒暇時來見一次的老友。如果不是環境的不適感過於濃重，他恐怕也要跟著應一聲「你好」。

穹蒼翹著一條腿，形象有些吊兒郎當，叫道：「丁希華。」

「妳就叫我丁希華吧。」對面的人笑道：「我挺喜歡這個名字的。」

他轉向穹蒼旁邊的賀決雲，聳肩道：「如果人類真的可以利用科技，永遠過上和其他人截然不同的生活，那該有多好？」

賀決雲說：「扮演是扮演，遊戲是遊戲。科技改變不了現實，三天的初衷也不是為了讓人逃避人生。」

「誰在乎是不是現實？」丁希華好笑道：「能讓人享受當下就夠了。自欺欺人是一種自我療癒的方式，也是一種能力。」

穹蒼說：「你現在開始悲秋傷春了嗎？」

「人在無聊的時候，總是會胡思亂想。」丁希華仰起頭，盯著天花板感慨道：「在你們來之前，我推導了一下我過往的人生，然後思考了一個問題。」

穹蒼順著話題，問：「你原本有機會做一個好人？」

「確實如此。」丁希華降低視線，低聲道：「人一旦開始回憶，就停止不了後悔。」

穹蒼沉吟道：「說明人類一直在犯錯？」

丁希華反問：「難道不是嗎？」

「哦——」穹蒼點頭道：「你不是認為天才高人一等嗎？怎麼現在也開始嚮往起普通人的生活了？你還會在乎這個社會對好壞的評價嗎？」

丁希華自嘲道：「因為進來後我才發現，監獄裡的生活太過無趣，輕鬆一點的從眾生活其實不會讓人討厭。所以……人一旦夠多，就會想要順從，這是人類的本性。」

穹蒼頓了下，問道：「那麼，在你後悔的過程中，有反思過是誰讓你陷入這個無趣的境地裡嗎？」

賀決雲心想，穹蒼想損人的時候，連句尾的語調都在表示她的傲慢。

丁希華問：「妳是在諷刺我嗎？」

穹蒼不以為意道：「不，我的諷刺對你而言應該毫無作用，畢竟你清楚知道自己比不過我。」

丁希華連受打擊，懷疑道：「沒有弄錯的話，妳是來找我談合作的？」

「是的。」穹蒼指著自己的手機示意道：「時間不多，剩下半個小時。我在盡力幫你，希望你能配合。」

丁希華沉默半晌，簡單落下一句：「我不知道。」

賀決雲坐直身體，不知道是該警告對面聽話，還是該勸告穹蒼收斂。

穹蒼一臉見鬼道：「你約我過來，不是為了讓我聽你講講人生的感悟吧？」

「我的確不知道。」丁希華說：「我沒見過他。」

穹蒼見他不是在開玩笑，表情嚴肅起來，問道：「那你們是怎麼進行交流的？」

丁希華唇角勾起，諷刺笑道：「社交軟體。」

穹蒼眉毛一跳。

丁希華說：「我不知道他是從哪裡拿到我的帳號，反正他主動加我。我們亂七八糟地聊了一些，然後慢慢變熟。那時候我年紀還小，在他緩慢地誘導下，我跟他說了不少事。」

穹蒼問：「董軒軒死後？」

丁希華並不避諱，點頭說：「是的，他有很強的對話技巧。起初他用各種專業的名詞解釋來安撫我，告訴我這樣的人類是正常的，且不在少數。並向我解釋基因對人格的影響，以及我應該如何融入普通人。」

那時候丁希華被母親否定，正需要認同感。網路另一端的陌生人給了他傾訴的機會，對方包容又平等的態度安撫了他的躁動。丁希華會跟他走近，幾乎是必然的事情。

丁希華輕嘆口氣：「他非常博學，像一位慈祥的長輩，我的任何疑惑在他那裡都可以得到解答。他十分有耐心，聽我講述學校裡的各種瑣事，還幫我分析利弊，教我如何應對那些令人煩躁的社交。他在我生命中出現的時間遠超過其他人。譬如……我的父母。」

那人出現得如此恰當，在丁希華最需要他的時候登場，成了他的指路明燈。頂替他失格的父母，帶他度過了最迷惘不安的時期，所以丁希華全然信任他。他幾乎塑造了丁希華青年時期的價值觀。

這是一個亦師亦父的人，哪怕丁希華根本不知道他是誰。

丁希華說：「如果妳是我，妳也會沒有辦法拒絕他。」

穹蒼這次沒有反駁，不過她的確不會。

在謝家的經歷讓她記取教訓，她會拒絕生活中如此無關痛癢的人給她的幫助，也不會把自己的事情告知外人。她不渴望社交，不期望融入群體，不喜歡在獲取他人認可上浪費無用的時間。

她本身就是一個特別的人，而且她不認為這是什麼需要改變的缺點。不直接面對自己，又怎麼能找到自己的位置？

她對外界的認知多數來自於知識的學習，畢竟世界上沒有人比自己更可靠。

穹蒼問道：「以你的分析來看，他是什麼人？」

「誰知道呢？」丁希華說：「他有很專業的心理學知識，認識非常多人，許多見解都鞭辟入裡，尤其是社會心理學。經常需要開會、實驗。」

賀決雲皺眉道：「不是律師嗎？他應該在你身邊，熟悉你的生活。他當初加你的時候就很奇怪了，根本不是偶然。」

「律師？」丁希華笑了下，「挺有邏輯的猜測，但我不覺得是。起碼不是我認識的律師。我爸爸合作的律師都是主攻經濟的，並不清楚我的事情。反倒是警方內部的人更加可疑。」

賀決雲說：「在董軒軒的案件裡，不是有個證人嗎？丁陶請了律師，去買通他的證詞。」

丁希華：「他只是一個草包，丁陶隨便請來唬人的。」

賀決雲與穹蒼俱是沉默。

丁希華說：「我不知道他是怎麼接觸到其他人的，反正他選了一個最適合我的方式。以他的專業知識，我想他有很多種方法，讓人察覺不到他的洗腦行為。」

穹蒼把腿放下來，坐得端正，問道：「你最後一次跟他聯絡是在什麼時候？」

丁希華：「我不記得了。慢慢的他不再回我訊息，我們就斷了聯絡。想要消磨交情，也是很輕易的事情。」

穹蒼點頭，思忖道：「所以你是出師了，亦或是他在進行下一階段的觀察？看看在沒有他的干擾下，你會有什麼樣的發展。」

丁希華譏笑道：「看來他滿意了。」

穹蒼搖頭：「不，我認為你讓他失望了，否則他不必特意安排董茹姚來到你身邊。一個合格的試驗品應該已經學會自己動手了，而你，就像你剛才說的，你內心其實嚮往普通人的生活。」

丁希華新奇道：「這算是誇獎嗎？」

「算是吧。你擊敗了全國大多數的人。」穹蒼兩手環胸道：「對待像董茹姚那樣有強烈欲望的目標，他可以直接進行利益誘導，不必顯得如此小心。可是對於像你這樣沒有明確動機的人，他只能潛移默化地影響。他耗費了那麼多年的時間，花費了大量的心力，你卻沒有如他預料的一樣，成為偏激的反社會人類，還微微意識到他的存在。他對你的影響甚至比不上你的母親。如果我是他，一定會感到很挫敗。」

賀決雲嘴角抽了抽，心道穹蒼的誇獎真是罕見又……獨特。

她犧牲太大了。

丁希華竟然覺得受用，他說：「可是妳又怎麼知道，誰是最後的那個人？也許他跟董茹姚一樣，只是別人的獵犬而已。也許妳身邊出現的每一個人，都曾在無意中幫助他完成自己的實驗。」他靠過來，鼻尖和玻璃只有一指之隔，吐息問道：「妳要怎麼辨別羅生門裡的真相？」

穹蒼直視著他，語氣莫名讓人信服，堅定道：「我不管這條藤上結了多少瓜、纏了多少米，只要讓我抓到它，我一定會把它連根拔起。」

時間差不多到了，門外的人提醒了一聲。

丁希華不置可否地笑了笑，站起身嘲弄道：「家祭無忘告乃翁。希望妳以後也能這麼自信。」

對談結束，二人翻臉只在一瞬間。

穹蒼跟著站起來道：「放心，我去幫我父親燒紙錢的時候，可以順便幫你燒一點。不過這就要看你的墳擺在哪裡了，畢竟我爸的墳地還是很貴的。」

丁希華背對著她揮了揮手，從門口轉了出去。

人影一消失，穹蒼的臉色就沉了下去。

賀決雲拉開門準備出去，回頭發現穹蒼仍舊站在原地，過去拉了她一把，叫道：「穹蒼？」

穹蒼低下頭：「被嘲笑了。」

賀決雲失笑：「妳不是罵回去了嗎？」

穹蒼不滿：「氣勢不夠。」

「因為猜錯對象？」賀決雲安慰她說：「我們只是猜想，還沒開始調查，所以這並不算錯誤。」

「可我依舊不認為那是一名心理醫師。」穹蒼說：「丁希華知道的事情，是他已經被選為特定目標後的事情，那之前呢？對方怎麼知道他是這樣的人？」

賀決雲見她愁眉苦臉，抓住她的手臂往外帶：「先回家吧。」

回去的路上，穹蒼心事重重，她偏頭看著窗外的樹影，一語不發。

賀決雲知道她是在整理思緒，就沒有打擾。

他本來想帶穹蒼去三天吃晚餐的，在快要抵達附近街道的時候，穹蒼突然搭上他的肩膀。

「賀先生。」

賀決雲：「嗯？」

穹蒼說：「我請你吃晚餐吧。」

賀決雲無語道：「一樣的套路，妳要玩幾次？」

「是真的。」穹蒼說：「我會做紅燒肉、紅燒鯉魚，紅燒的所有東西。當然你也可以相信我的學習能力，自由點餐。」

賀決雲半信半疑：「妳要做飯？」

「對啊。」穹蒼一本正經地說：「還沒感謝你一直以來對我的關照。」

世界要變天了。

機不可失，賀決雲迅速調轉了方向，不客氣道：「那我們先去一趟超市。」

第六章　案件重啟

賀決雲大概真的被穹蒼壓迫太久，以致於有了不太現實的想法。他買了一大堆生鮮蔬菜，認真挑選後帶回車裡。

穹蒼認為這批貨物最終的歸宿，就是被賀決雲帶去公司作為福利進行發放，否則它們將可憐地腐爛在冰箱裡。不過賀決雲無所謂，快樂地把它們搬進家門。

穹蒼表示自己需要一個人進行作業，因為她不喜歡幹活的時候受人指指點點，這樣不僅會讓她的創意受限，還會影響她的發揮。

賀決雲表示理解，把她需要的東西都備好之後，悠閒地走去客廳看電視。

穹蒼整理了下砧板上的東西，拿起菜刀開始處理眼前的母雞。

賀決雲家的刀很鋒利，刀刃直接滑入肉塊，甚至連雞骨都可以切碎。她握著刀柄，順著它的骨架進行切割。

她其實不喜歡做飯，這項不熟練的操作總會耗費她過多的時間，且速食的味道又過於寡淡，在金錢跟外送之間，她經常要做妥協。

在認識江淩之後，江淩會做飯給她吃，就算她平時沒有時間過來，也會事先燉好封在冰箱裡，這也導致她的家裡堆積了一櫃子的保鮮盒。

不過，烹飪這個過程放慢了她的生活節奏，也激發她不少的思考。就像許多人的靈感之地是廁所一樣，她在有困惑的時候就會來廚房。

那個人到底是誰呢？

他做過那麼多事，接觸過那麼多人，肯定會露出端倪的。在這個時代，人不可能把自己活動過的痕跡澈底消除。

可是，他留下的那些線索就如同鏡花水月一樣，好像能抓到，觸手一碰又變成了虛影。

他不僅熟悉丁希華、董茹姚等人，還熟悉穹蒼。在她完全沒有意識到的時候，就在觀察她的行為，並列為目標。

他可能想過要接近穹蒼，可由於她性格孤僻，沒能找到有效的方法。於是他退而求其次，讓別人來把穹蒼拉入局中。

在江淩來找她之前。在她去A大任教的時候。或者更早。

這個認知讓穹蒼毛骨悚然，彷彿有一雙眼睛在陰暗的角落中窺覷著她的一舉一動，令她背部起了一層寒意。

他利用社交軟體跟丁希華聯絡，他對人心的把握細緻到位。他對丁希華循循善誘，將自己的想法混雜在各種中立的觀點上。他善於教育，經常需要開會、實驗……

穹蒼瞳孔顫動，視線虛虛落在面前的水龍頭上。

賀決雲豎著耳朵，不時確認穹蒼的進度。起先那邊有正常的切菜聲，到後面逐漸聽不見任何動靜。

賀決雲理解她喜歡思考的個性，但時間拖延久了不免有點擔心。他把電視的聲音調大，端了個空水杯，悄悄晃過去查看。

賀決雲走到餐廳外面，裝作神色自然地朝裡張望，目光剛一轉過去，就發現穹蒼呆呆地站在砧板前，用右手按著左手的虎口，跟石像似的沒有動作。

菜刀被她丟在一旁，暗紅色的血液正從她的指縫間流出，已經在砧板上滴紅了一塊，她卻不知道處理。

「穹蒼！」

賀決雲嚇得魂飛魄散，大叫一聲後衝過去，拽過她的手，從懸掛的架子上抽過一條乾淨的毛巾，把傷口按住。

「妳在幹什麼！」賀決雲氣道：「妳是傻了嗎！妳不痛啊？」

他感覺這人的手不自然地顫動，指尖溫度冰涼。從手掌到手臂全是逆流的血漬，而她還一副渾然未覺的模樣。

穹蒼張了張嘴，近似呢喃道：「我知道了，我知道為什麼會有那種異樣的感覺，因為太熟悉了……」

她說話的語速越來越快，到後面幾乎沒有停頓。

「有足夠的知識、有為人尊敬的社會地位。即便是在灌輸價值觀，也讓人易於接受且不會起疑、職業過程中可以遇見形形色色的家庭和截然不同的觀察目標，在不用支付報酬的情況下，也可以憑藉正當理由長期跟他們接觸、連當事人自己都意識不到自己受到控制……」

她深吸一口氣，恍然大悟。

「是老師啊，他應該是一名教授。」穹蒼說：「以社會觀察實驗為理由，可以正當接觸各個年齡層的人群，盡情觀察他們的行為模式；擁有足夠的社會權威，可以作為專家協助警方進行辦案，參與到內部調查；認識許多體制內的好友，有機會從他們口中套出許多未曾對外公布過的資訊；與教育界的人相熟，知道可以能從哪裡找到『問題學生』。」

賀決雲用毛巾按著她的傷口，小心用水流把她手臂上的血漬沖洗乾淨。

穹蒼說：「一位從教多年的資深心理學教授，他的學生可以遍布天下。他還可以從學生那裡得到樣本。只要他想要什麼目標，就可以找到什麼目標。他不必去過哪裡，一大把人都是他的耳目。」

她激動起來，抽了下手。

賀決雲五指抽緊，抓住她的手腕，怒道：「穹蒼！」

穹蒼呼吸窒了下，望向賀決雲，又緩緩看向自己的手。後知後覺地明白自己的情況。

賀決雲看她滿臉無辜，一腔無奈無從發洩，最後只嘆了口氣，說道：「妳小心一點。」

穹蒼訥訥道：「……謝謝。」

賀決雲克制地說：「跟我過來清理一下傷口。」

這次穹蒼沒有反抗，任由他拉著走去客廳。

賀決雲從櫃子裡翻出自己的醫療包，幫她簡單處理一下。

傷口有點深，從虎口到掌心，穹蒼也沒注意到是怎麼受傷的。不過傷口面積不大，那刀也鋒利，所以看起來並不猙獰。

不知道是賀決雲的手心太滾燙，還是傷口在刺痛，穹蒼的左手一陣火辣辣的，觸覺比以往更加敏銳。等賀決雲幫她纏完繃帶，她的手已經快要麻掉了。

賀決雲一邊收拾東西，一邊嚴肅道：「我請個醫師來家裡看看，需不需要對傷口進行縫合。」

穹蒼只要還有一點眼力的，就說不出「痛」這個字。於是她搖了搖頭。

賀決雲把箱子蓋好，忍來忍去，還是沒忍住念了她一句：「妳怎麼那麼不小心？想事情也不能不顧自己的安全。」

穹蒼遺憾地說：「我下次再請你吃飯吧，現實它不允許了。」

「夠了！」賀決雲還在後怕，立刻拒絕。那麼多次了，他都懷疑穹蒼是故意的。這女人對付起自己的時候是真的狠。

「妳每次說『請客』兩個字就沒什麼好事，以後就算了吧，我更喜歡三天的餐廳。」

賀決雲澈底斷了念頭。讓穹蒼請吃飯簡直是逆天改命，是要付出代價的。

穹蒼覺得這關係到自己的誠信問題，堅持道：「下次一定！」

賀決雲搖頭：「不要了，不要了。」

穹蒼說：「你不要客氣。」

賀決雲的耐心總是被她踐踏：「妳現在去給我看看廚房！」

穹蒼閉嘴了。

賀決雲沉下氣，再次恢復自己的紳士面貌，說：「妳先休息一下，晚點醫師會過來。餓了先吃點水果。我去叫外送。」

穹蒼想到賀決雲的快樂就這樣沒有了，再次誠摯地道歉：「對不起啊。」

賀決雲：「沒事。」

他有條不紊地叫了醫師、點了外送，然後挽起袖子去收拾廚房的爛攤子。

那隻被處理到一半的雞還橫躺在砧板上，它的骨頭被拆在一旁，場面血腥又滑稽。賀決雲哭笑不得。

他用毛巾把砧板擦拭乾淨，回到客廳的時候發現穹蒼已經睡著了。

她躺倒在沙發上，眉頭緊皺，身體蜷縮，姿勢看起來不太舒服。眼下有淡淡的青紫，連休息都不太安穩。

賀決雲蹲在她面前看了會兒，確認她是真的睡著了，拿起毯子幫她蓋上，又把她的手抽出來以免壓住，然後關掉電視，躡手躡腳地走去書房。

穹蒼只剩下一隻能活動的手，不夠她用，嚴重影響她的心情，才在沙發上坐一會兒就覺得疲憊，想閉眼小憩一會兒，沒想到很快昏沉下去。

大概是受了丁希華的影響，她的夢境變得光怪陸離，也開始回顧起自己過往的人生。那些支離破碎的片段，拼成完整的畫面，在她腦海中重現。

她的過去其實沒什麼好回顧的，都不是什麼值得開心的事，能用來說道的地方更是寥寥無幾，她翻遍自己的記憶，也找不出一件可以談笑的趣事。

離開家庭，改名換姓，重新開始。這三個詞語就可以完整概括她的童年。

站在現在的位置來看，當初的日子似乎沒什麼大不了。困難並不艱鉅，生活並不窘迫，沒什麼人欺負她，她也沒經歷過新聞裡寫的黑暗社會。還有不少人想要對她伸出援手，只是都被她拒絕。

國家為她解決了大多數的問題，讓她順利成年並踏入社會，成為一個能對自己負責任的人。然而，對於當時年幼的她來說，成長附帶的是一段難以承受的傷痛。她每天醒來，在清醒中面對未知的一天，用時間強迫自己接受現實。

她太小，太年輕，連表現的方式都如此的幼稚。

改掉自己的姓名就是她的倔強，想以此作為對母親的懲罰，與她永遠撇清關係。祁可敘。

她已經很久沒想起這個名字了。就像她沒想到自己還能清晰記得這個她曾經住過的舊房子。

在她的記憶裡，她的房間總是昏暗的，窗外一直飄著雨，構成了與祁可敘一起生活的大多數時光。

祁可敘不是一個好母親，或者說相當不負責任。在丈夫去世後，她忘了怎麼照顧孩子，經常把穹蒼一個人丟在家裡。

她害怕穹蒼亂跑，就把門窗鎖住。害怕別人看見，就把窗簾拉緊。害怕穹蒼問她回答不了的問題，就行使冷暴力。

她的精神狀態不穩定。生氣的時候，會歇斯底里地朝她怒吼；傷心的時候，又會用力抱著她痛哭；高興的時候，向她保證自己會做一個好媽媽，然而堅持不到一天的時間就破滅了。

她身上有數不完的壞毛病，這些是穹蒼僅能想起對她的控訴。

穹蒼盯著面前的木地板，在她的注視下，那塊地板上漸漸滲出暗紅色的血跡。她看著孱弱的自己趴在黑暗中喘息，意識迷離地呼喚著那個人。

如果說上面那些毛病都可以原諒，她永遠無法原諒的是，祁可敘在打完她一頓之後，就澈底消失不見了。

死亡才是最不負責任的事情。

那時候的穹蒼還記得聽了一半的阿拉丁神燈的故事，她在半昏迷半清醒之間，在心裡默默地想，如果祁可敘能夠回來，她可以既往不咎。

然而沒有。

她聽著腳步聲在屋外響起又遠去，沒有一個是通往她的家門。

天空逐漸變黑，房間裡的家具出現了重影，失血過多讓她眼前出現幻覺。一直到第二天早上，祁可敘的屍體被發現，才有人到她家裡找到她。

可是她依舊期待那個美麗的女人會突然出現，把她帶回家。或者在她逃回家之後，打開門還能看見那道熟悉的身影。

她每一天都會蹲在門口等待她回來。

即便是這樣，祁可敘依舊沒有出現。

所以她叫穹蒼。

天空很高遠，它不需要任何人的陪伴。

穹蒼覺得自己像是一個繭，身體沉得可怕，手腳被蠶絲束縛，無法動彈。

她奮力掙扎，換來的是更加嚴重的反制。

緊接著，賀決雲獨特的聲音把她從漫無邊際的夢境裡抽離。

「她抽筋了！」

穹蒼的意識瞬間恢復。

另一個陌生的男音道：「你放開她，她只是熱！」

賀決雲悻悻地應了聲：「哦。」

他鬆開手，穹蒼也放棄了掙扎，睜開眼睛。

「醒了。」

賀決雲彎下腰，略帶驚喜的臉龐在她眼前放大，他用手背覆上她的額頭，試探她的體溫。

「怎麼樣？還有哪裡覺得難受？」

穹蒼喉嚨乾澀，用力吞咽了一口，感覺眼眶裡有殘留的液體滑了下來。

賀決雲垂下眼眸，半蹲著與她視線平齊，英俊的臉上還帶著緊張的神色，用指腹輕輕擦去她的淚痕，安慰道：「沒事了。」

醫師手裡拿著針，彎下腰，想跟穹蒼打聲招呼，表示自己要動手了，張了張嘴，發現稱呼是個問題。

「弟媳啊……」

賀決雲反射性踹了他一腳。

醫師腳步不穩，差點摔跤，連忙將手裡的針頭往上方別去，扶著椅背險險穩住身形。賀決雲看著嚇得心驚膽跳，睜大眼睛瞪向他。

醫師訓斥道：「你幹什麼！要是把人的臉扎傷了，是你殺了我，還是我畏罪自殺？」

賀決雲：「你的戲怎麼這麼多？誰讓你亂說話的？」

醫師哼了一聲：「我看你心裡美得很。」

賀決雲叫道：「你夠了！」

醫師不客氣地推開賀決雲，占據他的位置，對穹蒼道：「打一針，燒的有點厲害。不過沒什麼關係，待會兒再好好睡一覺就行。別擔心。」

賀決雲說：「你跟她說這麼多，她能聽得懂嗎？」

穹蒼沙啞開口道：「我又沒燒壞腦子。」

醫師笑道：「腦子燒壞了也比他聰明，沒事。」

賀決雲的腳在旁邊蠢蠢欲動，想往對方的屁股上踹。醫師舉起針頭警告，他只能咬牙切齒地忍下。

穹蒼只記得睡前的場景，她看向窗外，問道：「幾點了？」

賀決雲：「八點了。」

穹蒼驚訝道：「天還沒黑啊？」

「……是早上八點！」賀決雲無語道：「妳都不知道妳折騰了多久。」

穹蒼恍惚道：「睡了好久。」

醫師插話道：「可惜妳睡太久了，都沒看見老賀想跪下唱首〈征服〉給妳聽的樣子，太可惜了。」

賀泱雲被說得臉上無光，看了穹蒼一眼，否認道：「你在說誰？開什麼玩笑。」

醫師：「嘖嘖，機會都擺在你面前了，還不知道怎麼追女生，難怪你單身。」

針液緩緩推入。

醫師打完針，站起身道：「先去吃點東西，最近要多注意休息。」

穹蒼說：「謝謝。」

賀泱雲冷漠道：「再見。」

他背上自己的包包，說：「好了，我先走了，你們兩個繼續抱頭痛哭吧。」

醫師笑了聲，帶上房門離開。

屋內重新剩下二人，變得過於安靜。

穹蒼撐著手肘支起半身，賀泱雲連忙將她扶起，並跟著在她身邊坐下。

穹蒼還沒回過神，她偏頭看向賀泱雲，問道：「我睡著的時候哭了嗎？」

賀泱雲遲疑了下：「沒有。」

「真的哭了？」穹蒼又問：「哭了多久？」

賀泱雲：「一下下。」

穹蒼苦笑道：「對不住，又麻煩你了。」

「沒什麼。」賀泱雲字字血淚，「妳以後千萬不要再靠近廚房！」

穹蒼：「那只是一場意外。」

賀泱雲：「妳別管它是不是意外，反正妳以後別去！」

穹蒼反思自我，應道：「哦。」

賀泱雲這才安心，問道：「早餐吃什麼？」

穹蒼覺得嘴裡寡淡無味，因為餓過頭，也沒什麼胃口，就說：「想吃點重口味的。麻辣小龍蝦或者紅燒牛肉麵。」

賀泱雲點開手機，面不改色道：「白粥榨菜還是豆漿包子？」

穹蒼：「白粥。」

「想得真美。」賀泱雲嘀咕，「還麻辣小龍蝦……」

穹蒼：「……」怎麼這樣？

穹蒼的睡眠品質一向很差，因為生病的緣故，好好休息了幾天，等病氣散去，反而變得更有精神。

她覺得自己已經可以登昆侖、爬五嶽，給雙翅膀就能飛得比天高，卻又享受賀泱雲的保姆服務，於是嬌滴滴地在家做一個病美人。

倒是賀泱雲，因為擔心她累倒。每天準時幫她帶飯回家，腦子裡被各種冗雜的思緒侵占，導致寫報告的效率降低，工作愉悅感驟降。

宋紓那個傻子還整天在他身邊「滴滴滴」、「滴滴滴」地叫，唯恐天下不亂，一會兒就舉手，申請幫穹蒼送點水果、送點零食、送點聊天服務，再送點關懷。

賀決雲憤怒道：「我付你這麼高的薪水，就是為了讓你去跑外送嗎？」

宋紓回嗆道：「感情是可以用金錢來衡量的嗎？能嗎？」

賀決雲揪著他的後衣領，把他甩到自己的工學椅上，質問道：「副本改好了嗎？我們的公測什麼時候才能上線？」

宋紓哀號一聲。

三天內測結束的副本還要進行多次修改，根據警方的要求，以及玩家的探索情況，對劇情做小幅度調整。加強社會導向，控制副本難度。同時還要刪除一部分無用的劇情，以免干擾玩家。此外，部分未完善的功能也要做進一步的補充。

賀決雲強烈要求把抽屜裡的柳丁糖和其他零食去掉，以免又出現跟穹蒼一樣不務正業的玩家，在遊戲裡吃喝玩樂。宋紓等人表示反對，賀決雲冷酷無情地直接否決。

不過，在確認劇情線沒有錯誤後，他們就可以對外發布預告聲明了，想要參與的玩家可以申請公測名額，等待副本正式開啟。

賀決雲回到自己的電腦桌前，從最近接收的一排資料夾裡，找到已經編輯好聲明的文本，閱覽一遍確認沒有錯誤，讓論壇的管理者準備發布。

雖然副本從預告到正式公測會橫跨數個月的時間，最長甚至拖延了一年之久，但《凶案解析》的魅力和熱度從來不因它的製作週期受損。聲明一經發布，立刻就有無數網友湧入論壇，瘋狂分享原文並激情討論，在第一時間把這個話題頂上熱門。

與副本相關的官方聲明和媒體報導，也同樣被網友挖出來。一群資深觀眾藉由自己的想像力，對空無一物的劇情展開深度暢想，還將前後分析得頭頭是道，畫面十分美麗。

『我來看看，這次內測結束的是什麼副本！』

『新副本出快一點！《凶案解析》工作組的小夥伴們別談戀愛了，快來工作啊！』

『這個案子的原型是不是范淮案的第五位證人？范淮提供了多少副本素材給三天啊？』

『畢竟官方被罵得太慘了，而且范淮現在還是失蹤狀態。這起案件受全民關注，而且爭議巨大，不說清楚的話，又有一群人要在那裡陰謀論。』

『不是「起」，是「串」。牽涉的人實在是太多了。』

話題很快偏移，網友跳脫的腦迴路又跳向了別處。

『瞧瞧我看到了什麼！內測成員名單裡有一個ID是QC1361，這個是穹蒼吧？』

『天啊！國民好老師！真的是為了范淮來參加《凶案解析》的嗎？這是什麼深厚的師生情誼！』

『世界欠我一個人生導師。』

『我有個朋友參加了這次的內測，還跟大神拍了好幾張合照。我覺得他的個人頁面都透露著智慧的氣息。（垂涎.jpg）。』

『這叫人生導師？這叫人生護航員謝謝。我不羨慕，因為我相信我不會遇到這些糟糕的事。』

『也太巧了吧？五個人證裡面，目前已經公告的兩位，一個是喝老媽的毒酒喝死的，一個是被兒子和老婆害死的，偏偏這些意外都是在范淮出獄後才發生。我消不去我心底的陰謀論。』

『有些冤案就是由不可思議的巧合造成的啊，事實擺在眼前的時候，不信不行。』

『我想起那個被雷劈三次的人，從某種意義上來說，范淮也算被雷劈了三次，就不知道他是不是無辜的。希望警方能再認真勘查一次。』

『按照程序來說，范淮的案件已經結案，在沒有決定性證據的情況下不會重啟調查，更不能進行上訴。就目前的趨勢來看，他好像是無辜的，當然也只是「好像」，畢竟證人都死光了。我也很好奇後續要怎麼辦。』

『看三天這趨勢明顯就是咬上了，絕對會是一齣連續劇。還邀請了穹蒼參加內測，應該是想跟她合作吧？』

公告發布後，賀決雲照慣例去查看網路上的輿論，一目十行地進行翻閱，就看見「穹蒼」這個名字的出場率極高。

他眉頭緊皺，想起上次穹蒼被肉搜，然後遭人尋仇的事。

當時上門潑油漆的那群人不過是市井無賴，雖然沒什麼道德底線，卻也不敢太過出格，被穹蒼一腳踹進警局後就怕了。而這次在網路對面潛藏的，很可能是心理變態。

穹蒼那麼明顯的存在，簡直像是一個色彩鮮明的靶子。幕後的主謀、當年嫁禍范淮的真凶，以及知道內情的相關人士，都有可能被她吸引。誰能預料那些人敢做出什麼？

宋紓問：「那要不要把她的刪除掉？」

賀決雲說：「發都發了，這不是欲蓋彌彰嗎？」

宋紓覺得很離譜：「可是內測ＩＤ一直都是公布的啊，不會真的有那麼多敢去找玩家報仇的傻子吧？這還只是內測而已，到了公測，想報仇的話，報得過來嗎？靠什麼？抽籤啊？」

旁邊一人插話道：「只要人口基數大了，什麼樣的人能少？這還真不一定。最近最出名的就是穹蒼大神了，她的威脅性最大。」

宋紓問：「老大？怎麼辦？」

賀決雲手指輕敲，考量片刻後移動滑鼠關閉頁面，說：「算了。應該沒什麼大問題。」

穹蒼現在住在他家，他家附近的保全系統足夠健全，如果穹蒼不亂跑就不會出現危險。

正好她最近病了，已經避免不必要的外出。賀決雲再謹慎一點，應該可以安全避開這個時期。

最主要還是得盡快揪出真凶，畢竟逃避毫無用處。

宋紓攛掇他說：「要不你回家陪著那個女生吧。男人就是要在女朋友最需要的時候出現才有意義啊！」

賀決雲差點被自己的口水嗆到，忙道：「你胡說什麼呢！」

旁邊的兄弟無情嘲笑道：「以老大的進度，應該是還沒開始。你太高估他了。」

宋紓叫道：「那就更要去了啊！不然哪來的機會？」

「現在不把握機會，以後就要創造機會。」

幾人默契地發出幾聲奸笑。

賀決雲被這群不要臉的人氣笑了，用力拍桌，罵道：「什麼機會？給你們偷懶的機會啊？趕緊去工作！閒聊扣薪水，騷擾長官加倍扣，沒有下次了！」

眾人嘆著氣，遺憾地散去。

賀決雲板著臉，把桌面上的東西清理了一下，調出後臺的檔案，擺出一副認真工作的模樣。

然而工作的情緒一旦被打岔，就很難再聚集起來了。

賀決雲的腦海裡全是亂七八糟的東西，手指頓在鍵盤上方，落下覺得不對，又點擊刪除，反覆幾次都沒有進展。

他嘗試著冷靜，可腦海中總會出現某個身影，攪得他心神不寧。他的目光也不停在角落的某個圖示上徘徊。

最後他終於忍不住，悄悄點開了客廳位置的監視器畫面。

賀決雲心想，自己只是看一眼，如果穹蒼不在客廳的話，他就不去翻查其他房間的監視器畫面了。

湊巧的，穹蒼真的在。她居然在……擦櫃子。

無人的午後，她正勤勞地打掃著房間。

賀決雲：「……」

宋紓悠悠的語氣突然在他耳後響起。

「你居然把人關在家裡做女傭？老大，你臭不要臉！」

賀決雲被他嚇得一哆嗦，深吸一口氣，回頭狠狠瞪了他一眼。

宋紓伸出手臂，以迅雷不及掩耳之勢在他鍵盤上敲了一下。賀決雲看見這一幕卻無從阻止，一句感嘆詞脫口而出。

宋紓：「噓——」

「嗯？」

螢幕中的人聽見聲音，困惑地抬頭尋找聲音的來源。

賀決雲勾住宋紓的脖子，把他按到桌上，宋紓大聲道：「穹蒼姐姐，我們老大有事找妳！」

穹蒼這次終於聽見聲音傳出的位置，走到攝影機前面，一張清秀的臉在螢幕中放大，最後定格在一個合適的位置，問道：『有什麼事？』

宋紓深諳搶答之道：「沒什麼，就是想妳了——」

賀決雲連忙捂住他的嘴。

穹蒼笑道：『所以在背後看家裡的監視器畫面啊？』

賀決雲的手勁瞬間加重，宋紓的臉快要被他按到麻木。他奮力掙扎逃脫。這邊鬧出了一些動靜，穹蒼只當做沒聽見，靜靜等待對面的人說話。

「咳咳——」賀決雲耳朵發紅，尷尬道：「沒有，不是的。」

他靈光一閃，語句流暢起來，飛速說道：「主要就是想跟妳說一下，三天剛剛發布了一則公告，是關於內測副本的預告，現在網路上都在聊妳的事情。我怕妳會有危險，想提醒妳注意自己的安全。不是必要情況，不要獨自離開社區。」

『就這樣？』穹蒼低笑了聲，『沒關係，我習慣了。』

賀決雲：「習慣什麼？」

穹蒼說：『在這世界上，有些人天生就會吸引到變態。所以厄運會不停環繞著他們。身邊交好的朋友、墜入愛河的戀人，萍水相逢的路人，都有可能是潛伏著的心理變態。這些人會在他們毫無察覺的時候聚集到他們的身邊。當然，這和他們本身的品行沒有關係，可能是因為氣質，也可能是因為……命運。』

「妳……」賀泱雲狐疑道：「認真的嗎？」

『真的。事實就是如此證明。不過你也可以認為是某種低機率事件的偶然發生。』

穹蒼聳肩道：『反正我見識過的人不少，再多幾個也無所謂。』

賀泱雲乾巴巴地說：「還是小心一點吧。」

『好的。』穹蒼笑道：『謝謝你的關心。』

「嗯。」賀泱雲低著頭說，「那我先工作了。」

穹蒼點頭，溫柔笑道：『好啊，等你回來吃飯。』

賀泱雲的心情因為她的一句話，變得輕飄飄的，分不清是高興還是窘迫，快速切斷對話，長長吐出一口氣。

樓梯間裡，清脆的腳步聲由遠及近，最後停在一扇門前。

何川舟整理好額邊的碎髮，在門口敲了三聲，夾著文件走進辦公室。

裡面一位頭髮半灰的男人正等著她。

老人見她進門，淺淺地笑了下，自帶威嚴的臉上擠出數道皺褶。

「我剛才看完你們的人物側寫和案件分析，能在短時間內掌握這些線索確實不錯。但還要再加把勁，千萬不要鬆懈，我們的時間不多。」

何川舟站得筆直，說：「這些是來自熱心群眾的友好協助。」

對面的人示意道：「請坐。」

何川舟說：「我就不坐了，反正待會兒也要站起來。」

老人頓時警覺起來，臉色沉下，眼睛裡透出精光，帶著萬分的不情願，問道：「妳想做什麼？」

「我想……」何川舟說：「邀請一位熱心的群眾一起參與調查。」

老人手裡的紙張被捏到變形，他張開嘴，懷著最後的期望：「誰呀？教授？還是專家？是哪家公司機構？」

何川舟字正腔圓：「穹蒼。」

男人張開嘴，想要斬釘截鐵地告訴何川舟「不行」，聲音都發到一半了，想起對面這人執拗的性格，又趕緊憋了回去。

對待下屬就應該要循循善誘，動之以理。

老者問道：「梁隊長呢？他是你們組長，怎麼好久都沒見到他了？」

何川舟說：「他支持我的決定。」

「那應該是由他來跟我請示，他人呢？」老人罵罵咧咧，一邊去摸自己的手機，想要打電話叫人過來，「真是的，什麼事情都丟給妳處理，那要他這個隊長幹什麼？不像話！我讓他馬上過來。」

何川舟緊盯著他，面無表情地說：「他精神上支持我，行動上服從您。一切指令由您決定。」

對面的人聽著笑了，怎麼還有想得這麼美的人。

何川舟說：「請您批准。」

老者的表情嚴肅起來，不自覺緊繃的嘴角為他增添了兩分狠戾。他搖頭道：「不可能。」

何川舟：「為什麼？」

「我們不應該把無關的人牽涉到案件中，尤其是這麼危險又需要保密的案件。」已經上了年紀，不想繼續在刺激邊緣跳舞的警察局局長，咽下喉間的酸澀，苦口婆心道：「我已經替你們頂了很大的壓力，如果真出了什麼意外，誰來擔這個責任？」

何川舟冷靜反駁道：「我想，做一個決定最需要考量的，不是最終由誰來承擔這個責任，又或者是誰擔得起這個責任。而是它有沒有必要，可不可行，需不需要。這是您以前教我的。您對公義的信仰和真相的執著，一直都在激勵著我。」

「妳不要幫我戴高帽，我認真和妳講。我可以給妳三個理由。」李局長比出手勢示意道：「第一，穹蒼沒有任何職務，她現在是一個無業遊民。她擅長的專業領域對我們的偵查沒有太大的幫助。如果我們需要尋求說明，有更多、更好的人選。警方跟許多專業人士都保持著良好的合作關係，為什麼要再加一個穹蒼？有必要嗎？」

何川舟點頭。

「第二。她是范淮的老師，我們應該做到最基本的避嫌。她的動機和立場有偏向性，她給出的分析很可能會誤導我們。」老者說：「我知道你們偏向范淮是無辜的，但目前沒有任何證據可以證明這件事，在法律上，他還是一名罪犯。我們應該盡量以中立的角度去調查案件，不要預設太多立場。」

「第三！」

老者聲音突然加重，用力拍了下桌面，滿臉寫著滄桑，內心的鬱悶幾乎無法掩飾。

「妳還沒被罵夠嗎？如果妳現在把穹蒼拉進來，幾位死者家屬會怎麼想？先前的受害者家屬又會怎麼想？妳這是在向公眾表態啊。輿論這把刀是很鋒利的，只要妳揮出去了，它就一定會傷到人。我已經能想像到媒體到時候要怎麼帶風向了。誰來寫報告？誰去開會做檢討？要是再出一個江淩該怎麼辦？我們要考慮社會影響！」

何川舟：「我覺得……」

「還有！」李局長說，「穹蒼之前還是我們懷疑的對象。她的分析裡寫什麼？大學教授。她以前也是大學的講師，雖然不是教授，但符合了一半。妳把她請過來，妳的隊員都同意嗎？」

何川舟頷首，說：「我也可以給您三個理由。」

對面的人做了個手勢，示意她說。

何川舟徐徐道：「第一，穹蒼很聰明，不是一般的聰明。您手上拿著的，就是她遞交給我的案情分析。」

李局長下意識低頭看了報告一眼，鬆開手，不著痕跡地把它放到一旁。

何川舟置若罔聞，繼續道：「她比我們更了解凶手，更接近真相。她的天賦比許多專家更有用，而能力跟職業並沒有直接的關係。」

李局長黑著一張臉。

何川舟：「第二，她不能算是完全無關的人士。至今發生的許多事情都圍繞在她身邊，也是她幫助我們，捕捉到了最關鍵的線索。根據丁希華的證詞推測，穹蒼很可能是他們下一個目標，或者一直是他們的目標。如果穹蒼可以加入我們，能為我們提供很大的幫助。」

李局長張口欲言，卻又語塞。因為愁眉思索，眼角的皺紋變得更加深刻。

何川舟說：「第三，穹蒼的個人資料已經暴露了。她的出現，讓對方長久以來藏在暗處的動作被人察覺。三天的內測公告發布後，網路上幾乎都在討論她和范淮的案件。如果我是那個人，我會對她非常戒備。對方有鋌而走險的可能，我們也有保護她安全的責任。既然如此，不如讓穹蒼加入，方便大家同步調度。我相信以她的素質，不會要求過高的酬勞，且會嚴格履行保密的義務。」

李局長嘆道：「這不是酬勞的問題。」

他呆坐在原地，久久不語，目光沉沉地落在一側的檔案上，隨後用手撥開堆積起來的文件，看著被他夾在玻璃層裡，已經有些泛黃的舊照片。

徐徐秋風吹了進來，夾著樓下花壇裡的桂花香。

李局長嘆了口氣，說：「我也聽說過一些關於穹蒼的事情。」

何川舟見他感慨，說道：「您認識她父親吧？」

「認識，他以前是我底下的人。你們這些人，哪個不是我親自帶過的？他比妳早一屆。」李局長說：「他當年可是警校的校草。警局裡的宣傳片都是派他去拍的。」他的聲音變得低沉，「後來發生事故，受了傷，就離開了。本來有大好前途的，真是天妒英才啊。」

何川舟說：「都已經那麼多年了，您還記得他，就說明學長以前是一名好警察。」

李局長贊同地點頭，逐漸察覺不對，問道：「這跟穹蒼有什麼關係？」

何川舟說：「人情社會嘛。」

「人情妳個頭！」李局長罵道：「少給我打馬虎眼！」

何川舟正經道：「那您看？」

「嗯……」李局長發出一聲沙啞的嘆息，他端過手邊那個已經用了幾十年的老舊瓷杯，說道：「我其實不是很了解穹蒼這個孩子。妳在支隊做了那麼長時間，應該知道要怎麼協調隊員之間的關係，不要一意孤行。有些人還年輕，妳得多帶一帶，幫他們安排好。如果直接忽視他的想法，他可能會覺得自己被孤立。妳說呢？」

何川舟想了想，道：「如果您指的是謝奇夢，我相信他是可以理解的。那時候穹蒼還很小，他們之間的芥蒂，可能只是源於某種誤會而已。我認為穹蒼這人的性格其實很溫和，這點看人的信心我還是有的。」

「不單單是指某個人，我是在提醒妳。」李局長說：「妳確定妳夠了解穹蒼嗎？妳把這種了解告訴其他人了嗎？妳手下的那群小子都是怎麼想的？穹蒼的履歷擺在那裡，她童年時期的家庭不健全，青年時期的性格有缺陷，她整個成長經歷都不健康，大家懷疑她不是沒有道理的。范淮逃跑的時候，你們自己不是調查過嗎？有時候誤會是糊弄不過去的，不要留下能讓人攻擊的把柄。」

何川舟若有所思，點頭道：「我知道了。」

李局長嫌棄地揮手：「好了，出去吧。」

何川舟腳步後退，不忘問道：「所以您是同意了，對嗎？」

李局長眼睛一瞪，勃然怒道：「妳還要我怎麼說！妳不要得寸進尺——」

何川舟迅速關上大門：「再見！」

「低調——」老者的聲音在門後吼道：「妳做事給我低調一點！」

何川舟標誌性的腳步聲在門口響起。隊裡一個正在查資料的員警聞聲抬頭，問道：「何隊長，怎麼樣？李局長同意了嗎？」

另一人笑著插嘴：「沒有何隊長辦不到的事，你問這話簡直是在羞辱。」

眾人哄笑：「你這馬屁拍得真是不要臉。」

何川舟朝幾人點了點頭，走到自己的座位。她拿出手機，在通訊錄裡翻找。

然而她的通訊錄實在是太長了，她茫然地翻了半天，終於想起穹蒼那位心理醫師的名字。

方起，想要放棄的時候就一定會想起的名字。

她媽媽幫他取這個名字，可真是用心良苦。

何川舟撥了通電話過去，聽著系統撥號的聲音，把頭靠在椅背上放鬆。

『喂？』對面的男聲很輕快。

何川舟：「方醫師。」

『是我。』方起說：『何隊長嗎？稀客啊，妳找我有什麼事情嗎？』

「這件事情還沒決定，希望你能暫時保密。」何川舟說，「我們內部討論了一下，想請穹蒼作為顧問，協助我們參與調查。」

方起那邊安靜下來，明白了她的意思。

『妳需要她的測驗報告嗎？』方起笑道：『昨天才剛寫完最新一期的報告。當然，如果你想要她過往的所有測驗記錄，我這裡也有存檔。』

何川舟說：「我不需要那些東西，我需要直接的解釋。」

『什麼叫直接的解釋？讓我列舉一下穹蒼做過的好事嗎？』方起插科打諢道：『這些你們可以去學校裡問問，我還真的不了解。據說A大的學生挺喜歡她的。只是不知道你們用來證明好人的證據是什麼，要達成多少讚才行？』

何川舟對他的諷刺不以為意，她打開面前的電腦，語氣平淡卻極有壓迫感：「方起醫師，我看過穹蒼在三天的副本記錄，根據他們後臺的資料監測顯示，穹蒼很可能有創傷後壓力症候群。這點你沒有在任何報告中寫明。」

方起沉默。

何川舟說：「你的報告沒有可信度。所以你是沒有認真評估，還是……你其實也不了解她？」

電話對面的聲音冷了下來：『我只是不想暴露別人過多的隱私。事實證明，即便是在面對恐懼的情況下，她依舊能控制住自己的情緒。』

「我也希望如此。」何川舟說：「我們需要真實、有效、可靠的測驗結果。如果你們有意願的話，我希望在下週三之前，你能來警局裡做一個完整的解釋。」

方起說：『我問問她。』

何川舟：「好。」

方起看著被乾脆掛斷的電話，癟了癟嘴。他手指熟練地一滑，點中最上方的名字，撥了過去。

「喂！」單單一個字就透露著他的情緒。

穹蒼說：『看來你的心情不太好，我們下次再聊。』

「等一下！」方起簡直被她搞得沒脾氣，問道：「妳想參加警方對范淮案件的調查組嗎？」

穹蒼不假思索道：『當然。』

方起說：「他們要拉我過去問話。」

『祝你考核順利。』穹蒼的聲音突然拔高，顯然很有興致，『祝你萬無一失，馬到成功！』

方起：「妳是不是沒有心？」

穹蒼說：『我發個紅包給你吧。』

方起：「行，我知道了。」

方起掛掉穹蒼的電話後，看著遊戲畫面，也沒了興致，立刻退出，起身活動手腳。

他站到窗戶前，目光從樓底的花壇移動到遠處的樹影，又毫無目的地往其他地方亂轉。他在同一個地方站了五分鐘，最後還是做了決定，深吸一口氣轉身回去，拿起手機，翻找片刻，撥通了一個號碼。

方起關上窗戶，讓背景裡的雜音消失。

「喂，老師。是我，方起。您最近身體還好吧？」

「沒什麼特別的事，只是來問候您，順便了解一下穹蒼的情況。」

「哦，她沒什麼問題，她很好。只不過我對檔案中缺失的一段資訊感到有些困惑，穹蒼本人不太願意提及，可這樣會影響到我判斷的標準，所以想請教一下您的意見，不知道您了解多少。」

「沒什麼別的事情，我的好奇心一直都很強烈，您知道的。」

「我想知道，當初穹蒼的大腦為什麼會受傷？是從什麼時候開始，大腦的功能出現異變？她為什麼對此有些避諱，從不跟人提及？還有，她是否對黑暗有著強烈的恐懼？說實話，我對於她年幼時期堅持選擇自己的生活感到有點奇怪，她在抗拒的到底是什麼？」

對面低沉渾厚的男聲從揚聲器裡響起：『穹蒼不是對黑暗有著強烈的恐懼，她可以在黑夜裡正常行動，屬於正常情緒波動，所以很多人不知道她其實怕黑。但是黑夜加上一些因素，會讓她出現一定的應激反應。』

方起沉吟：「那……」

對面的人道：『許多心理上的問題，都是童年時期遺留下來的傷痛，只不過穹蒼對治癒這種疾病一直表現得不夠積極。』

方起問：「為什麼？」

『為什麼呢？』對面的人感慨道：『因為人類的感情矛盾又複雜……』

第七章　背後的祕密

週三，方起換上一身筆挺的西裝，開車前往警局。

何川舟準時在會議室等候，她手下的隊員也已經就位。

眾人在長時間加班後，難得迎來了可以摸魚的空閒時間，正覺得開心，個個姿勢懶散地癱在木椅上打瞌睡、玩手機或小聲聊天。他們對穹蒼是否加入並沒有太大的感覺，畢竟雙方之前都不認識，只抱著無所謂的態度。

謝奇夢坐在角落，面色凝重，低頭不語，顯然不在狀態。

何川舟翻開面前的文件，不停按響手中的筆。

謝奇夢抬手看了時間一眼，就聽何川舟說了句：「別急。」

謝奇夢又把手放下。

何川舟放大聲音，看似是對著眾人說話，其實是在對謝奇夢說話。

「今天是最後一次機會，大家有什麼想問的就及時發問。如果以後順利合作，我不允許組內出現猜忌或排擠的情況。」

「有必要嗎？」謝奇夢忍不住道：「這樣的會議真的有意義嗎？心理評估能證明多少事情？」

何川舟望向他，說：「有沒有意義，要等談過之後才知道。每個人把自己的道理說出來，沒有道理卻固執己見，那就叫偏見。我們的職業不允許出現這樣的偏見。」

眾人安靜下來，把注意力投向這邊。然而兩人卻不說話了。

一名隊員聳聳肩，尷尬地做了個鬼臉。

不多時，他們約的人也到了。

方起推門進來，看見一排坐著迎接他的員警，勾唇笑道：「大家好啊，這麼熱鬧啊？」

他不用招呼，自行選了個面對眾人的位子坐下。

被一排員警盯著，普通人難免會覺得不自在，方起仍舊是一副嬉皮笑臉的模樣，說道：「你們想從什麼地方開始走流程？一般來說，我的諮詢費用是很貴的，但這次可以給你們開個特例。不過對於一些莫須有的指控跟汙衊，我是不會容忍的。如果涉及不必要的隱私，我也不會回答。」

何川舟說：「再等一等。」

「還有誰？」方起攤手，「開大會啊？」

何川舟：「三天的負責人，也是我們的合作顧問。」

方起：「哦。」

沒多久，又有一人推門進來。

果不其然是賀決雲。

他看見方起，詫異地挑了挑眉。兩人目光相對，賀決雲眼裡的困惑愈濃。

方起說：「賀先生，又見面了。」

賀決雲笑道：「是要宣布什麼很重大的事情嗎？居然來了這麼多人。」

他選了個左右無人的位子，坐在何川舟跟方起的中間。

「既然人已經到齊了，那就開始吧。」何川舟說：「今天請大家來，是想要再對穹蒼做一次心理評估。」

賀決雲聞言不是很高興，餘光掃向謝奇夢，說：「這樣……不太適合吧？穹蒼並不是嫌疑人，也沒有犯案的可能。」

何川舟：「是我的要求。」

賀決雲正要說話，旁邊的方起接話道：「也是穹蒼的要求。」

賀決雲閉嘴了。

方起幸災樂禍道：「怎麼？她沒跟你說啊？」

賀決雲說：「她說不說有什麼關係？總不能做什麼事都要向我報備吧？浪費口舌。」

方起一臉欠揍道：「可你滿臉寫著不高興。」

賀決雲：「我面癱，懂嗎？」

方起：「懂。」

何川舟無視了二人的爭吵，說道：「我希望讓穹蒼加入我們的隊伍，一起進行調查。在這之前，最好是能把彼此之間的誤會消除乾淨。」

她從資料夾裡抽出兩份資料：「這是我們之前調查過的穹蒼的履歷。」

她把資料分別發放給左右兩人。方起沒有拿，賀決雲狐疑地打開看了一眼。

方起說：「諸位質疑我的實力，我是不認同的。我再重申一遍，我的心理評估報告真實可信，只是我不認為應該把客戶的所有隱私都寫到檔案裡面。」

「我對你的職業要求沒有意見。」何川舟示意道：「你不看看嗎？」

「不用看，我知道。」方起表現得十分坦然，「我也知道你們想問的是什麼。」

賀決雲正看到一半，因簡潔文字描述的內容感到一陣壓抑心驚，聞言抬起頭。

方起的表情嚴肅起來，兩手交握，擺到桌上。

「既然大家的時間都很寶貴，我們就直接略過無關緊要的前提好了。我先回答妳，關於穹蒼創傷後的應激問題。」

何川舟頷首，賀決雲也暫時放下手裡的東西，等他陳述。

方起說：「諸位應該知道，穹蒼的母親祁可敘，在她六歲左右就去世了。祁女士生前因為受到丈夫離世的打擊，精神變得不太穩定，獨自照顧穹蒼顯得力不從心。可是她一直抗拒他人的幫助。並遠離了所有與丈夫相關的親屬。」

「我理解一位女士獨自撫養孩子的艱辛與壓力，她在教育穹蒼的過程當中，的確有一些不正確的手段，乃至可以稱得上偏激的保護。但是，我相信她內心是希望可以照顧好穹蒼的，在她保持清醒的時候，她還是履行了部分身為母親的責任。」

「祁女士去世的原因，警方給出的通告是自殺。在她死亡之前，她用一個木製的擺設，砸傷了穹蒼的腦袋，然後把她獨自丟在家中，奪門離去。當時的穹蒼其實沒有失去意識，她很長一段時間都保持著清醒，只是無法求救。她從客廳一路爬到了門口，在堅持了十二個小時後，才終於被警方救出送去醫治。」

周圍傳來幾人壓抑的抽氣聲。

即便他們已經知道了這段經歷，但當單純的文字被描述成畫面，浮現在他們腦海中的時候，他們還是感受到了前所未有的悲傷，那是一種截然不同的衝擊力。

「這是一段過分漫長的時間，換做是任何一個成年人，在黑暗中無法動彈地忍耐十二個小時，我相信都不是一件容易的事情。」

方起的聲音猶如潺潺流動的河水，十分平緩。然而低沉的音節卻將眾人的內心攪出了駭浪。

「那時候的她還很小，可是她的智商又比普通的六歲小孩要成熟很多。她沒有那麼懵懂無知，也知道自己面對的是什麼。」

賀決雲垂下眼眸，喉結一陣滾動。放在膝蓋上的手指用力收緊，抓皺了褲子的布料。

他想讓方起繼續說下去，又想讓對方趕緊閉嘴。然而不聽、不看、不過問，不代表它不存在。他的抗拒無法改變穹蒼曾經遭遇過的事實。

她當時能做什麼啊？她要一秒一秒地數著時間，盯著門把等待母親的歸來嗎？

方起：「當天的實際情況，除了穹蒼沒有第二個人知道。對此她選擇了隱瞞。但是年幼、黑暗、重傷、疼痛，來自母親的傷害，漫無邊際的等待，生死邊緣的游離。自此開始，她患上了PTSD。這個能理解吧？」

會議室內的眾人異常安靜。

在這一點上，他們無疑比穹蒼要幸運許多，雖然家庭裡也有吵吵鬧鬧的瑣碎麻煩，雖然父母也曾因為生氣對他們進行武力教訓，但他們沒有在年幼時期經歷過這種能重塑他們人生的災難。

家庭帶給他們更多的還是溫暖，父母對他們而言像是一把保護傘。他們能同情、能理解，卻無法大言不慚地說感同身受。

方起說：「對於這種心理上的創傷，穹蒼依舊選擇了隱瞞，她並不希望我在這方面給予她幫助。所以這是一個祕密。」

有人驚訝地喊道：「為什麼？」

方起若有似無地掃了安靜的謝奇夢一眼，說：「不是所有的傷痛都希望被治癒。當它成為一種再不復來的記憶時，人們寧願選擇把它刻在生命裡，作為提醒自己它曾經存在過的證明，也不願意它跟著對方一起消失。」

「啊？」一位隊員無法理解道：「記這個做什麼？大難不死？死裡逃生？心理問題是很痛苦的，難道她要伴隨一生嗎？」

方起望向說話的那人，問道：「你以為被家暴的孩子，就會憎恨自己的父母嗎？你們身為執法人員，應該接觸過不少這樣的人群吧。」

一旁的何川舟說：「不會。」

方起說：「是的，不會。雖然大部分的孩子會畏懼，卻依舊孺慕自己的父母。甚至比普通家庭的小孩，更加珍惜那點得來不易的溫柔。那是本能的愛意，只要家長留念一點感情，這種愛就很難斷掉。他們可以為了得到父母的一點贊同，讓自己變得更加乖巧、懂事。他們會主動忘掉那些不開心的事，找各種藉口為父母的荒誕行徑做出合理解釋。比起責備父母，他們更容易責備自己。畢竟孩子要二十四個小時跟父母在一起，勸說自己是被愛著的，才能為生活帶來一絲希望。你會指望一個五六歲的小孩，深刻明白憎恨是什麼東西嗎？」

先前出聲的隊員訥訥點頭。

何川舟說：「就算是成年人，在高壓隔離的環境下，在對方忽遠忽近的態度裡，也會出現斯德哥爾摩效應。」

方起說：「普通的孩子，不會記得那麼久以前的事情，可對於穹蒼來說，那段時間的生活應該是相當清晰的。很多事情，當年的她或許無法理解，在她懂事之後，她可以慢慢回顧。每一次回顧，她都會以更加成熟的心態再次面對。無法忘記是一種很痛苦的事情，或許她認為這種創傷根本不可能被治癒，既然如此，她不允許其他人反覆挖掘她的過往。於是她拒絕治療。這也是她進行自我保護的方式。」

眾人不知道該如何接話。語言不足以讓他們把心中的感慨表達出來。

何川舟嘆了口氣。

賀決雲從剛才開始就一言不發。

方起低笑了聲，說：「我知道你們最在意的不是這個。可憐不能成為一個人無辜的證明，反而有可能是變態的契機，對嗎？」

何川舟認真反駁道：「我們並沒有這樣認為。」

「穹蒼在母親去世後的那段時間裡，有過奇怪的表現。」

方起說著，不再掩飾地看向謝奇夢。

後者察覺到視線，放慢呼吸，跟著抬起頭。

方起說：「她從不解釋，也從不提及，誠然是因為她足夠大度，不將別人的評價放在心上。除此之外，她是為了顧及誰啊？」

謝奇夢原本就亂了節奏的心跳變得更加慌張，他問道：「你是什麼意思？」

方起冷冷地轉過臉，不再看他：「我之前的確不知道這件事，如果我知道存在著這麼荒誕的想法，我會替她解釋。今天我不從一個心理醫師的角度，而是從一個普通人的角度，向你們解釋一下她的童言無忌。」

賀決雲眉頭緊皺，從方起說話開始，他的臉色就沒有舒緩過。

他想起謝奇夢跟他說過的話，隱約悟出些什麼，心頭莫名發悶，且極為難受。

方起說：「祁女士剛離開的時候，以穹蒼的年齡還不明白什麼叫死亡。她身邊的人告訴她，她媽媽不是好人，她媽媽已經不見了，再也不會回來了。對一個孩子來說，只會認為自己被父母拋棄了。所以她想要告訴別人，不是的。」

——媽媽回來了。

方起：「可是她不會表達。高智商，家庭教育的缺失，母親精神不穩定，長時間孤獨的生活，她的環境教會她如何小心翼翼地去關照別人，卻沒教會她該如何表達。她甚至不懂得該如何說謊，因為她的生活從來用不到謊言。」

——媽媽在妳身邊。

方起的語速很快，聲音發冷，每一字都透著嚴厲跟諷刺：「她第一次面對那麼多的陌生人，而且是不停指責她母親的陌生人，沒有人告訴她要怎麼辦。她只能不斷跟那些人提及祁可敘，用拙劣的話題跟他們聊天，笨拙地表達自己的想法，用母親的名義和自己的方式去討好他們。你以為她是要做什麼？一個年紀小的孩子在裝神弄鬼？在母親剛死的時候，迫不及待地吸引別人的注意力？還是到了一個幸福的新環境後，竭盡所能地想要破壞它？」

——她告訴我妳在說謊，妳不高興。為什麼呀？

方起：「在她從病房裡醒來的前一天，警方找到了她母親的屍體。同一時間，她的大腦因為受傷影響視覺，出現了不一樣的畫面。也就是後天性學者症候群。她只知道她的世界變了，但她明白那是什麼嗎？她是天才，可不代表她不經過學習就能知道所有事。」

——妳的臉上有東西。

方起：「她認為，這是她母親留給她的天賦，是上天給她的饋贈。可以讓她看穿大人的謊言，認清別人的好心與惡意，讓她能夠獨自在這個不安又陌生的世界生活下去。」

——是媽媽留給我的東西。

方起：「她想要告訴所有人『看，媽媽還陪在我的身邊。她是一個好人。她是愛我的』。僅此而已。她其實已經說得很清楚了。她耐心、委婉，一遍又一遍地告訴你們。」

——我沒有說謊，我知道我在說什麼。媽媽在啊。

方起站起來，指著謝奇夢道：「一個六歲孩子自我安慰的想法而已，為什麼要把她想得那麼齷齪？當初的你不懂，現在的你也不懂嗎！」

謝奇夢睜著眼，眼神麻木，嘴唇翕動。他直直地看著方起，身體發出輕微的顫動，卻發不出一點聲音。

不是這樣吧？怎麼會是這樣的呢？

室內一片安靜，只有幾人越發粗重的呼吸聲。

賀決雲眨了下臉，感覺眼下有輕微的黏膩，才意識到自己竟然哭了。他趕緊抬手擦了一把，將情緒壓下。好在眾人根本無暇顧及他，沒有發現他的失態。

「你覺得她給你造成了心理陰影，卻不知道你的家庭給她造成了多大的心理陰影。」方起哂笑道，「從此她拒絕別人的好意，不再提及自己的天賦，不再談論自己的母親。她選擇一個人生活，不跟別人說交心的話。」

謝奇夢全身的血液往頭上湧動：「你……」

方起毫不客氣地罵道：「你說她小時候陰森，長大後孤僻，看起來像個變態。這裡面有多大程度是你們教給她的？她好不容易被江淩帶得體面，你又說她學會了偽裝！我說，你才是神經病吧！」

謝奇夢終於出聲，嘶吼道：「你說的陰影是什麼意思？是她自己選擇離開的，是她自己非要一個人住。是她自己不停地跑回老房子，說要去找她媽媽！」

方起同樣吼道：「回去問你的父親！」

謝奇夢大步朝他衝過去，旁邊的兄弟終於回過神，眼疾手快地攔住他。

兩人一起按住他的手臂，叫道：「老謝！你幹什麼？」

「你到底是什麼意思？」謝奇夢漲紅了臉，沙啞的聲音從胸腔裡擠出，卻好像失去了力氣，「你給我說清楚，你是什麼意思？」

「我不想和你爭辯，反正你也不會相信我說的話，不如回去問問你父母。他們如果真的懷有愧疚，就應該要告訴你。」方起的聲音冷冽道：「穹蒼就是太有同理心，才會讓自己的一腔好意變成狼心狗肺。你自己慢慢想吧，我也沒心情幫你做開導。」

他轉身就要離去，走到門口的時候才想起來，還要給何川舟一個面子，於是刻意地問道：「何隊長，今天的詢問結束了吧？」

整個房間裡，只有何川舟保持著平靜，她點了點頭，沒有出聲。

方起二話不說，摔門走人。

過沒幾秒，遠去的腳步聲再次回來，方起推開門，叫道：「三天太子爺，一起走啊！不回去安慰你女朋友，還想留在這裡吃飯啊？」

賀決雲站起來：「今天就先告辭了。」

方起跟著賀決雲走了，謝奇夢失魂落魄地站在原地，在震撼之中難以脫離。

他的幾位兄弟不知該如何開口，面面相覷，又不知所措。

何川舟起身，收起桌上的資料，開口道：「散了吧。」

幾個大男人腳步遲疑，扭扭捏捏地圍在謝奇夢身邊。

何川舟嚴厲道：「還不走？不用工作嗎？今天這麼閒？」

「走走走，馬上走！」眾人見她生氣，連忙應聲而逃。

何川舟拿起檔案繞過去，拍了拍謝奇夢的肩，沒說什麼，也帶上門離開。

全然安靜的環境，讓謝奇夢覺得自己的耳鳴變得更嚴重了，那刺耳的哨聲在他耳邊迴響，像針一般刺入他的大腦。發涼的部位從指間逐漸蔓延到手臂，連帶著瞳孔都在震顫。

他強迫自己放空大腦，不再深想，挪動腳步，埋頭衝了出去。

謝奇夢一路跑到停車場，找到自己的車位，用力拉開車門。結果才剛坐進去，車門就被人按住。

他的大腦像是凝固了一樣，半晌還沒明白過來，只是下意識地跟對方抗力，想把車門關上。

外面的兄弟瞪眼叫道：「老謝，你幹嘛呢？我這麼大個人站在外面，你看不見啊？」

謝奇夢這才鬆手，反問道：「你幹什麼？」

「我幹什麼？」高大的男人笑了，「何隊長讓我來送你回家，她說她允許你放假，半天時間，沒有下次，隊裡最近忙著呢。」

「下來！」他催促道：「狀態不好就不要開車，也是對別人負責。不然橫衝直撞的，出事的話要怎麼辦？」

謝奇夢聽著指令，呆滯地走下來，從另一邊上車。

男人代替他坐上駕駛座，說道：「要回家，是吧？」

謝奇夢悶聲：「嗯。」

高大的青年發動車輛，窗外景色飛速掠過，二人一路無言。

快到目的地的時候，青年見謝奇夢還是一臉頹喪，勸了句：「老謝，不管真相是什麼，都已經是好幾年前的事情了，你不要總是在一件事情裡走不出來。我們是男人，能面對的就面對，該負責的就負責，沒什麼大不了的，是吧？而且你那時候的年紀還小……犯錯，人類的必經之路嘛。」

謝奇夢指道：「前面停車，謝謝。」

青年看他表情，知道他沒有聽進去。人一旦鑽牛角尖，誰也幫不了他。他依言把人放下，並把車停好，表示自己會坐公車回去。

謝奇夢沒有等電梯，直接大步上樓。他也不知道自己為什麼這麼急切，感覺一腔憂鬱困在他的心理，不問出來就讓他難受。

這個時間，謝母應該在家裡，因為她週三排休。

果然，謝奇夢推開門進去的時候，他的母親正在廚房裡煲湯。

「你怎麼回來了？」謝母看見他驚訝道：「你不是說最近很忙，要經常加班嗎？我本來來想做點東西送去你們單位呢。」

謝奇夢張開嘴，望著母親溫柔的臉，霸占著理智的衝動瞬間退卻。他站在原地，腦海裡閃過無數句話，卻還不出一句可以說出口。

謝母擦了下手，擔憂地叫道：「小夢？」

謝奇夢搖頭道：「沒什麼。」

謝母朝他靠近：「我是問你怎麼回來了……」

謝奇夢畏懼地退了一步，這個動作讓謝母愣住了。他隨口回了句「沒什麼」，越過母親，走向自己的房間。

謝母覺得不對，倚在門邊聽了一會兒，廚房那邊的水開了，沸騰出來的水澆得瓦斯爐不斷作響，她連忙趕過去關火。

五分鐘後，整理好心情的謝奇夢再次出來。

他的表情多了一絲堅決，停在廚房門口，不動聲色地叫道：「媽，穹蒼要加入我們的隊伍，跟我們一起參加調查了。」

謝母的脊背明顯僵硬了下，沒有出聲。

「妳說，該怎麼辦啊？」謝奇夢走上前，問道：「我要不要跟爸爸說一聲？」

謝母含糊道：「你自己決定吧。」

謝奇夢：「說什麼呢？她當初殺了我的狗，後來就跑了，她不是一個值得信任的人。她從小就有施虐的喜好，後來也沒有經過專業引導，很可能是有問題的，對吧？」

謝母背對著他看不清表情，但菜刀切剁的頻率明顯加快。

她說：「都是好久以前的事了，小夢。那時候的她還不懂事。」

「那是不懂事的人做得出的事情嗎？」謝奇夢說：「那不是簡單的不懂事。而且她至今都不承認自己的錯誤。」

謝母說：「她最多只是顧問而已，你們沒有很多要交流的地方。你不要管她就好了。」

「不行。」謝奇夢的聲音低了下去，「我是員警，我要確保安全，消除隱患。我不能接受一個有施虐傾向且不知悔改的人跟我在同一個隊伍。」

謝母切菜的動作停下，又去忙別的事情。

謝奇夢上前，抓住她的手臂，迫使她面對自己。

謝母受驚地抬起頭。

謝奇夢沉著氣，繼續問道：「媽，妳覺得呢？」

謝母激動道：「你自己決定！這是你的工作。你以前從來都不會問我這些事情的！」

「那穹蒼的事情，到底跟妳有沒有關係？」謝奇夢大聲問道：「我真實地討厭她那麼多年，可是今天有人告訴我，穹蒼的一腔好意被我當成了狼心狗肺！說她不是那樣的人，也不會做出那樣的事，連何隊長都默認了！她一直提醒我這件事不合理，可是我不相信！妳說我到底該相信誰？」

謝母的身形晃了晃，臉上閃過慌亂和遲疑。就是那下意識的反應，讓謝奇夢意識到方起說的才是真的。

謝母想要反駁，可無論是發顫的手還是難以控制的表情，都讓她失去辯解的機會。她用力吞咽了一口唾沫，依舊無法壓制自己的緊張。

謝奇夢鬆開她，趔趄地後退一步，靠在冰箱上。他咬著牙，眼眶依舊可恥地紅了，泛出水氣。

他彎下腰，喉嚨裡發出低沉的嘶吼，然後一拳砸到用石板做的流理檯上。

謝奇夢這樣的反應讓謝母感到害怕，她無法接受自己最疼愛的兒子有一天會討厭自己，甚至憎恨自己。可是謝奇夢如今的反應，不正是對她的強烈排斥嗎？

「人都會有衝動的時候。」謝媽媽努力尋找措詞，混亂地向他解釋，「小夢，你知道媽媽那時候的壓力有多大嗎？照顧狗的是我，照顧孩子的是我，你爸一年到頭不在家，你每天那麼精力旺盛，狗只要一跑出去就會蹭得特別髒，我得幫牠清理。我每晚都睡不著、掉頭髮，結果你爸還突然把穹蒼帶回來。穹蒼是個問題兒童。可我是個孕婦啊，我是個孕婦！他想到穹蒼的可憐，為什麼不想想我也很可憐？」

她的聲音顫抖尖細，像是要把真心剖出來給他。

「我那時候精神不受控制，後來我有去看醫師。媽媽那是生病了，你理解嗎？」

謝奇夢抬起頭：「那妳就沒有後悔過嗎？」

謝母用力點頭：「我後悔了呀。可那時候你還小，你讓我怎麼跟你說？」

謝奇夢注視著她：「以前不行，現在呢？現在還我小嗎？那麼多年了，妳就找不到機會告訴我真相嗎？妳覺得現在的我不能體恤妳，還是覺得我就是那麼蠢，可以用謊言欺騙我一輩子？」

謝母哭出聲來。

「我剛剛問妳了，妳還是不解釋、不否認、不坦白。妳是篤定穹蒼不會說出來，所以肆意浪費她的好心？她在什麼都不懂的時候就知道包容妳，她現在二十六歲了，她還是要為妳的錯誤繼續付出代價，為什麼！」謝奇夢蹲下身，抱頭抓撓著頭髮，「到底為什麼啊？我那麼相信妳，妳怎麼可以做出這種事？」

謝母不敢靠近他，抱著自己的雙臂道：「我害怕。」

「爸爸明明是警察，他為什麼也要這麼做！我從來都沒這樣想過，因為我不敢相信你們會這樣對待一個可憐的孩子！爸爸不是說那是他朋友的孩子嗎？他不是說要照顧她嗎！我是那麼厭她！那麼多年了，回憶起她的時候永遠都是憎惡。每次見到她，我都會跟她爭吵。原來……」謝奇夢哽咽得無法說下去，他捂住眼睛，把臉深深藏起來，「原來最討厭的人其實是我……」

謝母說：「你爸爸是顧慮我，他不敢再讓我受到刺激。我差點流產，精神也不穩定，又不敢隨便吃藥。他把穹蒼送走以後，其實一直很關心她。會寄錢給她，買東西，辦手續……」

謝奇夢問：「所以妳就心安理得地讓她幫妳保守祕密了嗎？」

謝母大感心痛：「不是的！我們不是這樣想的！我們以為你會忘了這件事，或者你自己會發現。」

「我對你們好失望……」謝奇夢說：「不，最令我失望的應該是我自己。我是一名警察，我怎麼會相信這麼荒誕的描述？一隻成年的大型犬，想要殺死牠，把牠拖到櫃子裡，需要耗費多大的力氣？為什麼那天晚上，我們所有人都沒有聽見動靜？這些事情是一個孩子可以辦到的嗎？我太蠢了，其實我只是故意迴避，自欺欺人。」

「小夢……」

謝母想扶他起來，被謝奇夢躲開。

「我想冷靜一下，妳不要過來。」謝奇夢退到玄關的位置站定，努力用最冷靜的態度，跟對面已經六神無主的女人說道：「妳錯了，妳真的錯了。有些事情，你們成年人可以甩脫，但是我們不行……一輩子都不行。我不怪妳，因為妳是我媽，可是穹蒼呢？妳不應該用妳的理由去傷害她。她一輩子……都變了，她過得不比妳輕鬆。妳有爸爸陪著妳，可是她什麼都沒有……連道歉都沒有。」

謝奇夢說完，頭也不回地衝下樓。

他眼裡的景色在旋轉、飛逝，暈在朦朧的水霧裡。他也不知道自己跑到了哪裡，直到胸腔內的空氣快要被壓乾，才虛脫地停在一個無人的地方。

謝奇夢還記得，穹蒼剛到他家的時候，瘦瘦小小，文靜可愛。

她當時傷口還沒好，頭上綁著一圈白色的繃帶，不喜歡湊熱鬧，乖乖地坐在沙發上，用一雙漆黑的大眼打量著每一個人。

那時候他母親懷孕了，一直告訴他，有一個弟弟或妹妹有多好，所以他把穹蒼當妹妹了。雖然這個妹妹有點古怪，但以他當時的年紀來說，也不是不能接受這種怪異，甚至覺得很新奇。

如果不是他的狗死了，也許他可以和穹蒼一起長大，會成為穹蒼的哥哥。

然而只是因為一個「衝動」，什麼都沒了。他眼中的家人變了顏色，他多年的堅持淪為了笑話。

她每次看著自己無理取鬧的樣子，是種什麼感覺呢？

現在的她或許會覺得好笑，當初那個遠遠站在人群外的小女孩是抱持著什麼樣的心情？

被他忽視許久的記憶突然清晰起來。

他記起第二天，跑掉的穹蒼被父親帶回來，自己質問她為什麼要殺掉自己的狗。穹蒼用茫然又可憐的眼神看著他，卻還是沒有說話。

她為什麼不說呢？

也是。她要怎麼說？

說你母親是一個變態，說你母親當著一個孩子的面殺死了你養了好幾年的狗，還把事情推到她身上？

她體會過那樣的滋味，所以她無法對謝奇夢說出類似的話。

謝父給過她微小的幫助，她就感念那些好心，然後背負了謝奇夢二十年的指責。

方起說得對，穹蒼就是太有同理心。她比許多同歲的孩子更懂得照顧他人的情緒。這樣的善良會讓她受傷，讓她難過，所以她漸漸變得孤僻。

謝奇夢被一股突如其來的崩潰擊倒，放肆地哭了出來。

他半蹲在地上，等到回過神來的時候，發現自己已經不由自主地打通了穹蒼的電話。

手機裡傳來穹蒼一貫平緩的聲音。

『喂。』

「喂？」

『我數到三次，就是我耐心的極限了。』

謝奇夢沙啞道：「是我。」

穹蒼：『我知道。來電顯示是基本常識。』她得不到回覆，又說：『到底有什麼事？哦，難道是因為我們即將要共事了，所以你打給我，向我表示慶賀？』

謝奇夢沒忍住哭聲，說道：「對不起。」

穹蒼那邊頓了下，道：『我不知道你在說什麼。』

「對不起。」謝奇夢悶聲道：「真的對不起……」

穹蒼聽著他狼狽不堪的聲音，連揶揄的話都說不出口。她沉默片刻，嘆了口氣，道：『你的情緒還是這麼豐富。算了，也不算一件壞事，繼續做你的謝奇夢吧，不過這次記得向前看。沒別的事的話，我掛了。』

這個人永遠都是一副不在乎的樣子，應對別人的傷害，掩飾自己的善良。

謝奇夢又說了句「對不起」。他似乎只會說這句話。

穹蒼淡淡地應道：『嗯。』

賀決雲從警察局出來，開著車在街上亂逛一圈。

他不停想著奇奇怪怪的東西，比如一個幽深昏暗的房間裡，小穹蒼趴在地上緩緩爬行，她身後的地板上留下了一道長長的血跡。

畫面逐漸變得陰森恐怖……

賀決雲搖了搖頭，讓自己的思想正常一些。

他知道或許是自己自作多情，穹蒼不像是會再為這種事感到難過的人，可他還是忍不住多想，然後把自己套進那個場景，變得傷心。

於是在路過一家花店的時候，他鬼使神差地停下，並走了進去。

雖然他也不知道自己為什麼要來這種地方。

店員看見一位英俊的男士出現，興奮地跑過來，熱情招呼道：「先生，想買什麼花？」

賀決雲的目光從各種花團上掃過，拿不定主意。

店員推薦道：「玫瑰吧！有一批玫瑰剛好到店了，今天剛開花，外觀很美。」

賀決雲下意識想要拒絕。他認為玫瑰的寓意太過明顯，在愛情裡出現的頻率過高，會讓穹蒼產生誤會。他要是拿著這麼一束花過去，自己都會覺得尷尬。

他餘光瞥見角落裡一種花瓣秀氣、顏色豔麗的花，指道：「就那個吧。」

「康乃馨？」店員說：「是要送給父母的嗎？是準備給爸爸還是媽媽？想選什麼樣子的包裝？」

賀決雲：「……」

如果不是之前沒見過這人，他都要懷疑這人在幫穹蒼占自己的便宜。

店員看他表情不對，困惑道：「先生？」

賀決雲問：「爸爸要送給女兒的話，應該要選什麼才好？」

店員驚訝，沒看出賀決雲已經結婚而且有女兒了。她快速瞥了賀決雲的手一眼，發現他並沒有戴婚戒。

賀決雲怕她弄一些粉嫩的東西，補充了一句：「不要太幼稚。」

店員當即表示理解。

她懂。

男人總喜歡做女朋友的爸爸。或者說男人喜歡做所有人的爸爸。

間歇性腦子進水，需要放水。

店員臉上的笑容更標準了，她唇角高高向上揚起，說：「那就白玫瑰吧。代表著純潔、天真。也就是濃烈又純淨的父愛！而且特別好看！」

賀決雲很滿意：「就這個吧，包起來。」

店員問：「要多少枝？」

賀決雲：「方便我一隻手拿著的。」

店員嚴肅地比了個手勢，一臉心照不宣道：「明白！先生稍等！」

五分鐘後，賀決雲抱著清新又華貴的白玫瑰走出店門，小心放到車廂後座。

穹蒼這邊剛掛斷謝奇夢的電話，嘀咕了一句「莫名其妙」，還沒把手放下，賀決雲就打了通電話過來。

她順手接起，笑道：「Q哥。」

賀決雲聽見她又這樣稱呼自己，居然沒有生氣，反而客氣地問了句：『請妳吃頓飯？』

穹蒼覺得有點反常。

「好啊。」

賀泱雲又問：『想吃什麼？』

穹蒼想了想：「烤魚吧。」

『好，我現在回家接妳。』賀泱雲頓了下，說：『妳那邊怎麼那麼多雜音？』

穹蒼說：「我不在家，我在大賣場。家裡的拖把被我弄壞了，我出來買一把新的。」

賀泱雲這才想起自己忘了把清潔人員的電話留給她。不過她大概是想出去走走。

『那我現在過去接妳。』賀泱雲說：『妳傳個定位給我。』

穹蒼把自己的定位傳過去。

只是不知道這邊有什麼干擾定位的建築，加上她手機的網路不是很好，點開地圖後，左下角的小圈圈不停轉動，地圖畫面無法載入，只有一個代表她位置的標示孤零零地扎在那裡。

賀泱雲看了定位一眼，跟她約定在前方一個路口見面。

穹蒼直覺認為那個路口和自己的真實定位還有一段距離，但她覺得，反正賀泱雲開車過來也要時間，就沒拒絕。

穹蒼對這一帶的路況不算熟悉，卻還記得走過的地方。過來的時候，不走尋常路的導航帶著她橫跨了一片古舊的住宅區，所以回去的時候，她選擇了相同的道路。

她單手拎著一根長長的拖把，腳步輕快地轉進小巷。

雖然這個社區很老舊，但由於地理位置優越，還是有幾個走動的人影。

穹蒼邁著沉穩的步伐，目不斜視地朝前行進。

她的影子拖在身後，跟著站位方向拉得長長短短，在她走入陰影區的時候，又消失在一片沁涼之中。

因為之前跟賀泱雲講電話，穹蒼分神了沒有留意。可是走在這條相對安靜的長街後，她隱約感覺到有股刺人的視線落在她背上，而且越來越明顯。

穹蒼低下頭，仔細去聽身後的腳步聲。

那腳步聲輕重不一，時走時停，似乎是在根據她的位置調整速度。從距離判斷，已經逐漸逼近她了。

正是烈日當空的中午，卻讓穹蒼有種腳底發寒的錯覺。

她快步轉了個彎，準備回頭觀察，賀泱雲碰巧打了過來。那熟悉的聲音成為附近最突兀的響聲，讓穹蒼震得打了個激靈。

她轉過身，加快腳步繼續往前走，同時摸出手機，單手滑開，放在耳邊。

賀泱雲說：『那家店的人有點多，我先去訂個包廂。忘了問妳喜歡吃什麼口味。』

穹蒼：「嗯……」

賀泱雲笑道：『妳「嗯……」是什麼意思？隨便嗎？』

穹蒼凝神注意身後的動靜，沒聽見賀泱雲到底說了什麼。在他尾音落下，世界陷入異常的寂靜後，那道腳步聲從緩轉疾，在地上重重蹬了一下，倏地朝前方撲來。

穹蒼沒有猶豫，更快一步轉過身，把手機砸出去。

可惜她不是專業人員，只見手機被擲出一道黑色曲線，完美從對方身邊擦過去，連一道風都沒帶起。

不過她突襲的架勢倒是讓對方嚇到了，那人沒有料到她的反應，身形不由自主地頓了下，做了個閃避的動作。穹蒼也趁機把他的五官看得清清楚楚。

他是一位中年男人，穿著一件鬆垮的藍色襯衫，衣服上染著一塊不明汙漬。半白的頭髮看起來不曾打理過，亂糟糟地糾成一片。渾身上下都寫著邋遢。

他的雙眼布滿血絲，眼白渾濁。臉色泛黃，身材消瘦。裸露在外的手臂和腿上有小面積傷疤。

沒見過，不認識。身體狀況有問題。

穹蒼第一時間下了判斷，兩手抓住拖把長桿，謹慎地朝有人的方向跑去。

中年男人也在短暫的錯愕後反應過來，但他並沒有顧忌周圍的環境，反倒像是被激怒似的，眼睛死死盯著穹蒼，朝她追過去。

穹蒼回頭，看見兩人瞬間拉近的距離，驚訝這人並不像她想像中得那麼外強中乾，索性停下腳步，蓄力把拖把朝對方頭上砸去。

中年男人這次沒有躲避，而是硬生生地抬手擋住。不銹鋼和他手臂上的骨頭發出沉悶的撞擊聲，他卻好像感受不到疼痛，直接用另一隻手掐住穹蒼的脖子。

穹蒼來不及錯愕，一股穿刺般的劇痛已經襲來，剎那間，她甚至感覺到自己脖頸處的骨頭發生錯位。

兩人離得近了，穹蒼聞到一股濃烈的菸草臭味，還有一股複雜的腥臭味，她忍著疼痛，勾指在對方臉上狠狠抓了一道。

中年男人只是偏了下頭，手指依舊如鋼鐵一般沒有撼動。眼神裡閃動著瘋狂，張口吐出一股渾濁的氣息。

「殺了妳……我要殺了妳！妳想害死我，我就殺了妳！」

厲害了。這絕對是個吸多了的癮君子。

穹蒼蓄力朝對方的胯下用力一踢，對方這才鬆開手。

穹蒼順勢跌坐到地上，難以呼吸，掙扎了幾次都無法站起，只能四肢並用地努力逃開。她用餘光看見中年男人躬著身，在疼痛麻木後，從腰間抽出了一把泛著冷光的刀。

不遠處已經靠近的路人見狀，驟然停下腳步，朝後退了一些。

穹蒼：「……」別呀，大哥。

『穹蒼？穹蒼！』

賀決雲只聽見幾聲沉重的撞擊聲，之後任由他怎麼呼叫，對面都沒了回應。

他內心有種強烈不詳的預感，心臟因為慌亂而開始充血跳動。他丟下手機，按下車內的按鈕，急切道：「馬上定位穹蒼的位置！」

『怎麼了？』宋紓拉開椅子的聲音在對面響起，『她有帶什麼可以精準定位的設備嗎？不然我就要用你的通話記錄來定位了。』

賀決雲：「我要最快的速度！」

宋紓說：『等我兩分鐘。』

賀決雲咋舌一聲。別說兩分鐘！兩秒都嫌久！

賀決雲抬起頭，此時他的位置已經能夠看見大賣場的建築了，可是他根本不知道要往哪個方向走。他對著路標看了一會兒，紛亂的大腦中電擊似地閃過一個畫面。

「馬上報警！調動商場附近所有能調動的保全，去外圈進行搜尋！幫我找一條從大賣場去二號路口最近的步行道路。」

他按著耳朵仔細回憶了一遍，補充道：「應該是避開了馬路，背景很安靜，沒有汽車鳴笛聲，也沒有行人對話聲。」

宋紓那邊回覆得很快：『來了，導航上顯示的這條小路，她目前的定位範圍也符合這條路線。』

賀決雲掃了地圖一眼，立刻調轉車頭，往最近的入口趕去。因為沒時間停車，就近把車停在了一家店門口。

在他從車上跑下來時，一個戴著帽子、低著頭的年輕人正好從小路走出來，朝另一個方向快速離開。

賀決雲的目光在他身上停留了片刻，他突然有種奇怪的熟悉感，然而那也只是一閃而過，沒能讓他多想。他快速移開視線，腳步不停地朝著裡面衝進去。

穹蒼看著那刀尖對準自己，白刃在陽光下反射出刺眼的光線，明白這時候除了自救，沒什麼可靠的人能夠幫她脫困，只能強行忍住喉腔的痛意，屏住呼吸，觀察歹徒的動作，以便反擊。

她的心跳因為供氧不足，開始劇烈震動，大腦卻依舊清醒。在對方跑到距離自己一公尺左右的位置時，看準角度，一腳踹去。

這名中年男人的力氣雖然很大，但是神智不清，對身體的控制也不靈活，這一把摔得不輕。他的反應著實遲鈍，不知道是長期吸毒導致的，還是一次吸了過量的毒品，臉磕到地面的時候，都不知道抬手去擋，只是死死地抓著自己的武器。

路人見他倒地，躍躍欲試地想要上前幫忙制服，可是男人很快站了起來，瘋狂地揮舞著短刀，嘴裡胡亂嚎叫著一些讓人聽不懂的斷句，再次逼退圍觀群眾。

在他最後嘶吼出的兩個字裡，穹蒼聽出來了，喊的就是她的名字。

這次還真不是……無妄之災。

穹蒼看準機會，再次朝對方的膝蓋處踢了一腳，把人推得一個趔趄。可惜她的力氣不大，性別差異帶來的體能差距還是很明顯的，她甚至覺得自己打的根本不是人，而是一具喪屍。

圍觀的群眾一陣心急，但他們畏懼歹徒手裡的凶器，和他明顯不正常的精神狀態，躑躅著不敢上前，只敢在旁邊費勁地喊道：「快跑啊！快跑！」

穹蒼心想，她要是能跑，至於躺著嗎？

接連兩次的失敗，澈底激怒了歹徒，他變得更加癲狂。

穹蒼按著脖子想要站起來，喉嚨裡一直卡著的那口血，隨著她的動作噴了出來，連帶著胃液一起湧出，將她的呼吸道灼燒得一片刺痛。

穹蒼吐得眼前發黑，自嘲地想著自己的墓誌銘上，居然也會迎來「英年早逝」四個字，已經做好迎接跑馬燈的準備，就聽見一聲重物撞擊的悶聲，中年男人在她面前倒下了。

周圍有人大聲喝彩：「好！」

腳步聲雜亂響起，路人紛紛上前幫忙制服。

以穹蒼的視角來看，只能看見那位熱心市民的一雙馬丁靴。他一腳踩在中年男人的手上，迫使對方放開刀。並在歹徒鬆手之後，快速用腳一踢，把武器踢了出去。

小刀正好飛到穹蒼的身前，她伸手想要撿起，卻被一雙素白的手搶先一步。

那雙白色帆布鞋的主人撿起刀後，停在她不遠處大聲喊道：「你快走啊！」聽聲音是個女生，似乎是朝著剛才幫她的人喊道。

穹蒼歪過頭，順著光影望去，視線一片朦朧。她用力眨了下眼睛，把眼眶裡的淚水擠出去，就看見一個背光的男人站在人群中間。

他戴著一頂鴨舌帽，帽簷深深往下壓，遮住了他半張臉。下頜骨的曲線在陽光下變得分明，緊繃的唇角讓他看起來頗為嚴肅。

——范淮！

那熟悉的輪廓瞬間與穹蒼記憶中的半張臉重合。

雖然她跟范淮見面的機會不算多，但她很肯定這個人是就他。許久不見，他似乎有了些變化，氣質更加沉穩，也更加陰鬱了一些。

「范淮……」穹蒼從喉嚨裡發出氣音，連她自己都聽不清自己在說什麼，「你居然還在A市？」

范淮沒有看她，猶豫了下，轉身跑開。

穹蒼當即想要朝他追去，卻被身後的女生攔住。那人抓住她的雙臂，低頭問道：「妳沒事吧？」

穹蒼看著人影消失，垂首搖了搖頭。

賀泱雲趕到的時候，穹蒼正試圖從地上站起來。她的脖子上帶著一圈紅痕，五指的痕跡清晰可見。面色白得嚇人，手腳都在發顫。

她的皮膚本來就白，襯得那圈紅色的印記尤為猙獰恐怖。

賀泱雲跑過來單手托住她。穹蒼偏頭看了他一眼，向他投以感謝的眼神。她因為難受，抬手捂住自己的脖子無聲咳嗽，想把喉嚨裡的酸澀咳出來。

賀泱雲把她的手掰開，近距離看清她的傷痕，眼神越發冰冷。那五道鮮明的指痕前段，還留下指甲摳陷的痕跡，已經破皮滲出血絲，可見對方下手之狠。

賀泱雲手臂緊了緊，將人半抱在懷裡。

很快，附近出來幫忙搜尋的三夭保全，以及正在值班的員警聞訊趕了過來。他們看見被按倒在地、毒癮發作的中年男人，咬牙罵了一句：「真是瘋了！」

單看中年男人身上的毒瘡，就知道他是個老毒蟲。幾位員警曾經見過他，對他沒半分好臉色，粗暴地幫人上銬，架著拖走。

一位年輕員警緊張地過來詢問：「需不需要我們幫忙送醫？」

賀泱雲說：「不用了，我有車。來。」

穹蒼跟著他的腳步往前走，然而她一動作，呼吸就紊亂，一用力呼吸喉嚨又發疼，那股勁頭到現在都還退去。賀泱雲見她著實難受，直接把她抱起，跟幾人點頭招呼後，快步轉身離開。

穹蒼雙手繞過他的脖子，頭輕輕搭在他的肩膀上，隔著外套，聽著他強而有力的心跳聲。她抬起頭，從賀泱雲嚴峻的表情裡感受到他壓抑的怒意，用手扯了下他的頭髮，結果賀泱雲沒什麼反應。

賀泱雲把她放到副駕駛座，剛關上車門，後座的車門又被人拉開，一道黑影隨即竄了進去。之前站在穹蒼身邊的女生竟然跟了上來。

賀泱雲張口欲言，又沒空把時間浪費在她身上，只能不理會她，踩著油門一路趕往醫院。

第八章　纏繞的謊言

等到了醫院，照了X光，仔細做過檢查，醫師明確表示沒有生命危險，賀泱雲那張帶著殺氣的臉才緩和了一點。可一旦瞥見穹蒼，又會不自覺緊繃起來。

穹蒼雖然不方便說話，卻依舊生龍活虎。她強烈要求享受一下吸氧的快樂，在金錢的打動下，醫師滿足了她的需求。

於是賀泱雲一臉無奈地看著穹蒼躺在床上，研究那兩根纖細的氧氣管，也終於有時間關注那個一直站在角落的女生。

那女生穿著很普通的T恤跟小白鞋，外觀像是個樸素的大學生，年齡應該在二十歲上下，眼神很堅毅。

察覺到賀泱雲打量的眼神，穹蒼拽了拽他的袖口，在吸引到他注意後一通比劃。

她指了指女生，又指了指自己，然後在脖子處劃了一道線，最後比了一個讚。

賀泱雲：「……」對不起，他們的心意並不相通。

賀泱雲對著那女生問道：「是妳救了她嗎？」

女生搖頭，開口的聲音清脆響亮：「是另一個人。」

賀泱雲正要說話，衣袖再次被人扯住，他低下頭看過去，就見穹蒼用力指了指自己。

賀泱雲忍不住道：「我們現在的科技是不允許用平板還是紙筆？我不知道妳到底想說什麼。」

穹蒼：「嘖。」這個音她倒是發得很清楚。

穹蒼拿過平板，在上面打下一句話，並轉化成語音放出來。

『你不懂精神交流的快樂。』

賀決雲：「妳都不能說話了，怎麼還是這麼惡趣味？」

穹蒼手指按動，平板裡發出一陣「咯咯咯」的機械笑聲。

賀決雲：「……」

那笑聲響個不停，硬生生把氣氛渲染出滑稽的味道。

「我叫田芮。」對面的女生開口道。

穹蒼敲字：『不認識。』

賀決雲也搖了搖頭。

田芮說：「我爸叫田兆華。」

顯然二人還是不認識。

田芮努力保持著平靜，雖然她的情緒掌控並不出色。

「他是一名醫師。在十幾年前，先是被人檢舉性侵，又被有醫療事故的病人開車撞死。他意外身亡的時候，醫院的調查還沒結束，所以即便他死了，依舊帶著汙名。惡意檢舉的人得到了一筆錢，凶手最後只坐了一年的牢，他們付出的代價不痛不癢，甚至沒有代價，只有我爸死得不明不白！」

賀決雲說：「小妹妹，妳到底想說什麼？」

田芮：「當年那個檢舉他性侵的人，就是梅詩詠。」

梅詩詠這個名字，二人總算有印象了。她就是當年指認范淮的證人之一，也是第二位死亡的證人。

賀決雲不動聲色地在床邊坐下，問道：「妳告訴我們這些，是想做什麼？」

田芮說：「你們三天不是正在調查范淮的案子嗎？我希望你們把這件事做成副本，還我爸清白！」

「不可能。」賀決雲想也不想就拒絕道：「妳知道做一個副本有多困難嗎？先不說鉅額成本，單看社會導向就是個很嚴肅的問題。我們不做任何沒有明確證據證實的案件，更不會只相信妳一個人的證詞。」

田芮激動道：「你們可以去查啊！」

賀決雲說：「那是警方的事，如果妳有證據，妳可以先報警。如果那只是妳以為，很抱歉，我們沒有合作的機會。」

田芮攥緊自己的手指，憋了許久，喊道：「警方有問題！」

賀決雲：「小妹妹，所以我說得有證據。」

田芮激動道：「是真的！當年警方明明有機會可以證實我爸的清白，但他們卻一直捏著證據不公布！憑什麼？這麼多年了，還是有人認為我爸當年作風不良、死有餘辜，開什麼玩笑？他本來就要升副教授了，是醫院裡最有前途的醫師！他救人無數，到頭來自己卻死得那麼淒慘，公平嗎？你們三天的宗旨不就是還原真相？這個案子哪裡不符合你們的標準！」

賀決雲嘆了口氣，不知道該怎麼向她解釋，問道：「妳其他的家屬呢？」

田芮哼了聲，扭頭不答。

穹蒼按動鍵盤，點擊 Enter 按鈕：『妳是怎麼認識范淮的？』

田芮猶豫了下，還是回答道：「是他主動來找我的。」

「范淮？」賀決雲想起那個在路口一閃而過的人影，狐疑道：「原來真的是他？」

穹蒼：『你們達成聯盟了？』

田芮說：「不行嗎？我們都是受害者。」

穹蒼：『你們跟蹤我多久了？妳認識范淮多久了？』

田芮再次沉默。她看著兩人審視自己的目光，委屈地咬住下唇，大概是發現他們和自己想得不一樣，滿心失望，拎起背包跑了出去。

賀決雲沒攔，只感慨了一句：「年輕人。」

穹蒼：『查一下。』

「嗯。」賀決雲心裡有數，找出田芮的身分並非難事。

房間裡只剩下二人，彼此的存在感變得強烈，狀態也不自覺放鬆下去。

賀決雲看著穹蒼，神情複雜道：「妳最近是不是有血光之災啊？」大病初癒，又帶上了外傷，怎麼回事？和醫院結緣了？

穹蒼煞有其事地點頭，用嘴型示意道：我也覺得是。

這事當然不能說是她的錯，賀決雲把剩下的話忍住了。他調整好情緒，在病床前俯下身，問道：「餓了嗎？想吃點什麼？」

穹蒼立刻被他帶歪話題，思考著該怎麼點餐，賀決雲又自己加了句：「妳能吃的東西也不多，別挑了。我幫妳點一碗粥，實在不行就喝飲料。」

穹蒼：「……」

賀決雲摸向口袋，起身道：「我先去車上拿點東西，妳好好躺著，不舒服就按鈴。」

穹蒼點頭。

賀決雲回車上拿電腦跟文件，順便和宋紓交代一下三天的工作，準備陪穹蒼在醫院住一晚，明天也不回去了。

他拉開車門，再次看見放在後座上的花，愣了下。隨後想著這花買得真是應景，之前還煩惱不知道找什麼理由送過去，正好可以拿來探病。

他把花束拿起來，將邊角整理好，確認它看起來精緻美麗，小心地捧在手裡走了出去。

等他回到病房，穹蒼已經恢復精神，正靠在床上看電視，見他進來，眼睛直勾勾地落在一旁的花上，歪著腦袋發出了詢問的電波。

賀決雲裝作坦然地把花遞過去，開口道：「爸爸給……」

穹蒼飛快「誒」了一聲。

賀決雲怒將花丟到她臉上。

穹蒼把花拿開，忍著不適擠出一句話：「我只是在清嗓子。」

賀決雲說：「少來。」

穹蒼心想，自己現在就是不方便說話，否則一定拆穿他的心態。

她把花整理好放到旁邊，又把掉下來的花瓣塞回去。

賀決雲剛坐下又站起來，說：「我把它插到花瓶裡。」

穹蒼點頭。

於是賀決雲抱著自己……穹蒼的寶貝花，過去換瓶子。

等他重新進來，將花擺在穹蒼的床頭，穹蒼真誠地說了句：「謝謝你，好人。」

賀決雲瞥她：「妳還是別說話了。」

第二天，穹蒼的喉嚨沒有好轉，反而更加嚴重了。難以吞咽，會有嚴重刺痛感。醫師說這是正常的過程，她昨天一頓猛烈咳嗽，又胃酸倒流，屬於內外俱傷。忍兩天就好了。

宋紓原本計畫著想來看看，一聽說穹蒼病情加重，屁股點煙似地跑了，生怕賀決雲把怒氣發洩到自己身上。

這個喜歡借題發揮的男人，一直都那麼不善良。

穹蒼因為身體不適，心情變得憂鬱。她不能去報復社會，只能順手報復賀決雲。於是病房裡一直響著「咯咯咯」、「呵呵呵」的機械音，吵得人沒辦法工作。

賀決雲聽了只想打人。

世界上怎麼會有這麼恩將仇報的女人？他到底是為了誰留在醫院的？這人心裡沒點數嗎？

賀決雲自知惹不起面前這位霸王，選擇主動出門避難。

在賀決雲走出住院部大樓的時候，就看見一道熟悉的人影，正盤腿坐在前面的臺階上。女生聽見動靜，習慣性地回頭。

她應該已經重複了這個動作無數遍，以致於當她看清是賀決雲後，表情麻木了兩秒，然後露出欣喜的神色。

賀決雲覺得有些好笑，走過去坐到她身邊。

田芮往旁邊靠了靠，以免擋住主要道路。

賀決雲說：「怎麼，想好說服我的理由了？」

田芮醞釀了一會兒後，說：「我昨天可能太衝動了，但我沒別的意思，只是太心急。唉，你或許不能理解我的生活，從我父親去世後，我的家庭就徹底毀了。我媽深受打擊，差點一蹶不振，我被一些不明真相的人指指點點，過得卑微可憐。我等了那麼多年，好不容易得到了一個能夠還原真相的機會，所以……希望你們能幫幫我。」

門口的風特別猛烈，賀決雲的頭髮被吹得蓬亂，風中夾帶著的細沙讓他不自覺瞇起眼睛。

「不要向我賣慘。論講故事的能力，妳沒比別人說得好，也沒比別人說得真。」賀決雲搓搓手指，示意她可以進行交易，「不如這樣好了。妳告訴我范淮在哪裡，那我就以個人的名義幫妳向警方說情，請求他們重啟調查。至於行不行，就看妳說的證據夠不夠硬了。」

田芮心想，這是什麼屁話？誰需要啊！

田芮：「你就沒有一點同情心嗎？如果是你女朋友遭遇到這種事情，你還會不會老把『證據』這個詞掛在嘴邊？你們都不去找，哪來的證據？」

「我不會讓她遇見這種事。就算她遇見了，我也會按照程序走。這是我們的規矩。」賀決雲想了想，還是澄清了一句，「而且她不是我的女朋友。」

「你們這些人，嘴裡都沒一句真話！」

田芮憤然拎起包包，起身就走。賀決雲沒有站起身，他捲起手中的檔案，有一下沒一下地幫自己搧風。

果然，沒過多久，這個說走就走的女子又灰溜溜地跑了回來。

嘿，還挺快認輸的。

田芮重新坐回賀決雲身邊，裝作無事發生，說：「我不可能告訴你們范淮在哪裡。」

賀決雲：「保護聯盟？」

田芮說：「因為我們都不相信員警，起碼不相信他們裡面的某些人。」

賀決雲：「可是最後還是要依靠他們？」

「我有什麼辦法？這是社會啊！」田芮委屈道：「螳臂當車，無能為力。」

賀決雲感慨道：「真是年輕人。」

田芮不服，轉過身道：「你幹嘛老說我是年輕人。換做是你，你能沒有偏見嗎？哦對，你跟他們關係好著呢，是獲利者。」

賀決雲笑了，朝後面指了指，說：「妳去問問樓上那位姐姐，她被警方當作嫌犯看管過幾個月，該吵的時候吵，該罵的時候罵，可是一出事，她還是最信任警察。為什麼？因為警察是個身分、是職業，是國家中秩序的一環，不是某些人可以代表的。只看到片面的事情，就影射整個團隊，甚至整個社會，形容妳是年輕人，已經很含蓄了。」

「那你怎麼解釋范淮？他很慘吧？」田芮說：「三天跟警方不停在做范淮的副本，是不是懷疑當年的事情有疑點？結果推一個范淮出去，不僅沒有平息事件，反而越鬧越大了。」

賀決雲似笑非笑地看著她。

「幹什麼？我說得不對嗎？」田芮瞪眼道：「先不說被范淮『殺死』的那個人，光明面上的人證就死了五個，有些殺人凶手，到最後都不知道自己成了別人的刀，這不恐怖嗎？背後又有多少像他們那樣的人？范安就是個很好的例子。我相信你們應該也發現了吧？怎麼？怕了？」

「范淮跟妳說的？真可惜，妳的理由不能打動我。」賀決雲說：「說句現實點的，妳知道我們做一期副本，需要花費多少成本嗎？妳可能花一輩子都賺不到我們建模的錢，我為什麼要因為妳的一句主觀性描述，在妳身上做那麼大的投資？三天發展到現在，靠的不是感覺。除非妳有證據可以證明，妳父親的案子跟范淮的案件之間有一定關聯，否則就放棄吧。」

田芮覺得這個大人過於現實，滿嘴都是功利，又要起身告辭。

賀決雲說：「妳再走的話，我可不會繼續坐在這裡等妳。」

田芮才剛站起來，又坐了回去。

果然還是個比較識時務的女孩。

「叫范淮來見我，妳搞不定我們。」賀決雲說：「他的老師住院了，好歹跟他有那麼一點關係，他真的不來看看嗎？」

田芮黑著臉，撇嘴道：「他不可能來的。」

賀決雲不客氣道：「那我走了。」

「等等！」田芮站起來，急切地說：「我父親是在D大的附屬醫院上班的。幫梅詩詠開過鑑定報告，指證我父親性侵的醫師也來自D大醫院。范安之前被家暴，有幾次重傷送醫，曾經去過這家醫院。你們之前公開的那個副本，同樣被家暴的『李毓佳』也去過那家醫院！這就是關聯啊！只要把我爸拉進你們這個圈子裡，就能找到他們之間的關聯了！你們一直沒有進展，是因為你們的目標範圍太狹窄了！」

賀決雲認真地看了她一眼。

唆使丁希華殺死他父親的董茹姚，也曾在D大附屬醫院有過長期的診療史，不過賀決雲不會告訴她這一點。

賀決雲說：「我們查過類似的記錄。準確來說，『李毓佳』為了懷孕，她全市各大醫院都去過。范安去的醫院並不固定，不過通常會選擇離家近的那一間。幾人求診的部門根本不同，也沒呈現什麼明確的規律。何況D大附屬的醫院非常有名，每天接待無數位病人，會去過根本不是什麼稀奇的事。妳這關聯性有點牽強。」

田芮抓狂道：「我要怎麼說你們才會相信啊？五個證人都說謊，他們每個人手上都有把柄！梅詩詠的把柄就是我爸爸，這就是你們調查的方向。范淮也是這麼覺得的！沒有人比他更了解凶手！」

「我們會關注的，妳先回去吧。」賀決雲離開前叮囑了一句，「妳不要跟別人說這些事，也不要到處亂跑。對面那些人就跟瘋狗一樣，一旦發起瘋來，就沒有絲毫的社會責任感，別隨便幫自己立目標。順便轉告范淮，他要是相信我們的話就出來。他要是想躲，那就再躲好一點，不要讓任何人發現。」

田芮：「那你們到底是同意了，還是不同意？喂——」

賀決雲兩手空空地離開，又兩手空空地回來。

穹蒼正在喝水，見他推門出現，連電視也不看了，拿過一旁的平板，在上面輸入道：

『這麼快就回來了？是想念病房裡的空氣了嗎？』

賀決雲挑眉，不理會她的幼稚，慢條斯理地走過去把窗簾拉上，又把房門反鎖，然後走到單人沙發前坐下。

「我在樓下碰到田芮了。」賀決雲說：「跟那女孩聊了一下。」

隨後他把對話大致重述，穹蒼手指敲著螢幕，若有若思地皺起眉頭。

賀決雲說：「她說的其實有點道理，我們的目標範圍太窄了，起碼跟對方比起來是這樣。所以我們總是無法拼湊對方留下的線索。」

好比一個巨大的蜘蛛網，他們只抓到了一條絲。而這條絲線上有那麼多的岔路，他們根本不知道主謀在哪個位置。

賀決雲都有種想隨便試試的衝動了。

穹蒼思考良久，回覆道：『可以試試。』

賀決雲問：「因為妳相信范淮？」

穹蒼：『他失蹤那麼久，總要做點事。畢竟他好歹算是我的學生。』

賀決雲一想也是。范淮失蹤那麼久，還冒險留在A市，肯定有別的理由。

賀決雲說：「如果真的跟醫院有關的話……」

穹蒼搖頭：『我堅持我的想法，不是醫師。D大附屬醫院又不是什麼名不見經傳的私人醫院，就算去過也不稀奇，不必強行聯絡，會侷限自己的思考。』

穹蒼：『說不定范淮只是唬唬她，他不可能把這麼重要的證據，隨便告訴一個天真又單純的小女孩。他只是希望我們能順著他的計畫進行調查而已。』

比起自己，穹蒼肯定對范淮更加了解。既然她這樣說，賀決雲也沒有堅持。

「我問問何隊長那邊的進展。」

他摸出手機，找出何川舟的電話撥過去。

兩人簡單寒暄了幾句，賀決雲問道：「何隊長，之前那個吸毒犯怎麼樣了？」

何川舟說：『被帶去戒毒了，裝瘋賣傻的，不肯配合。他現在不歸我們管，但那邊的人更有辦法。等他清醒後我們會過去問話，放心吧。穹蒼怎麼樣了？』

賀決雲：「還行，就是最近不能說話。」

穹蒼比了個手勢。

賀決雲補充道：「但是一點也沒消停，她讓我向妳問好。」

『我很好。』何川舟笑道：『你讓她多注意休息就行。』

賀決雲深深感受到一股名為雙標的力量，他繼續問：「之前請你們幫忙調查的事情，有結果了嗎？」

『嗯。』何川舟說：『田芮就叫田芮，她爸爸田兆華也確實是車禍去世的。這個案子太久了，當初也不是我們負責的，如果需要詳細的資料，我們得去別的警局抽調。』

賀決雲說：「那就麻煩了。」

何川舟對他突然堅持要查這件事感到奇怪：『為什麼？你們是有什麼新的發現嗎？』

賀決雲不能把范淮說出來，道：「證據倒是沒有，只是有種感覺。對方從來都是利用目標身邊的人或案件進行誘導和威脅，如果我們拓寬搜索範圍，說不定能有新發現。」

『感覺？』何川舟的語氣變得嚴厲，『誰的感覺？』

賀決雲不客氣地出賣隊友：「穹蒼。」

何川舟語氣一轉，沉吟道：『嗯，有道理，倒是可以查查。』

賀決雲：「……」您好意思嗎？

何川舟敷衍地解釋了一下：『她的感覺準確率很高。有時候是她的大腦在她自己都沒有發現的情況下，對一些細微資訊做出了處理，進而給出判斷。』

賀決雲酸道：「哦。」

何川舟說：『不過這個案子已經結案很久了，當初又不是我們負責的，目前沒有任何新證據，我們不方便插手。』

賀決雲：「可以請三夭的人先去調查一下。」

何川舟：『好，等我把資料調出來，再去找當初的同事問問。有消息的話，大家及時交流。」

賀決雲掛斷電話，朝穹蒼點了點頭。

穹蒼打字：『三夭有採訪權嗎？』

賀決雲說：「當然。三夭那麼大，部門那麼多，我還有記者證呢。《凶案解析》的許多細節，可不是靠資料能還原出來的。」

冰冷的電子音緩慢吐出三個響亮又清晰的字：『驚！呆！了！』

賀決雲：「……」這句話明明不是從穹蒼的嘴裡說出來的，為什麼諷刺的意味反而更濃了？

他奪過穹蒼的平板，踮腳放到櫃子上，哼道：「沒收了。」

穹蒼無言了一陣，摸過床頭的手機，不過這次她總算沒鬧賀決雲，直接點開軟體搜索了田兆華相關的案件。

全都是十幾年前的舊新聞，穹蒼只輸入了幾個簡單的關鍵字，排在前面的搜索解說全都是各種不知名醫院的廣告。

她往後翻了好幾頁，才終於找到自己想要的內容。

當年田兆華的事件，在國內引起一陣轟動，畢竟它牽扯到向來緊張的醫患關係。

起因是一位女性，新聞上用了化名，目前來看，那個人應該就是梅詩詠。她檢舉田兆華利用醫院資源進行誘導，多次與她發生性關係，致使她懷孕。隨後有人報警，警方介入調查。同一家醫院的另一名醫師，用羊水和田兆華進行了DNA比對，確認胎兒是田兆華的孩子。

當時這件事情發生了好幾次反轉，在孩子的DNA結果出來後，網路上一片譁然。網友對於究竟是田兆華太禽獸，還是女子仙人跳展開了激烈的討論，雙方吵得不見天日，現在從新聞下密集的留言還可以看出當時盛況。

而在這件事還沒有結果的情況下，又有一名男性跳出來指控田兆華發生了醫療事故，要求高額賠償。

醫院對此作出回應，表示病人已經順利出院，不存在醫療事故的可能。手術過程中對身體的損傷是不可避免的，術前已經進行告知，希望家屬理解。醫院拒絕賠償。

網友看過聲明跟相關的證據，一致認為這只是趁機敲竹槓的人，對他沒有在意。沒想到不到一個星期的時間，男子與田兆華發生重大車禍，田兆華當場去世。之後梅詩詠帶著孩子消失，車禍司機被判處一年有期徒刑。警方提出了相關調查報告。

報告聲稱，車禍事故雙方皆有責任，一人超速，一人違規變換車道行駛。皆未在雙方體內檢測出酒精成分。田兆華死亡，而另一名司機只有腿部受傷，沒有生命危險。

對田兆華醫療事故的指控，經鑑定委員會確認，未達到醫療事故的標準。至於性侵指控，由於當事人已經去世，另一名當事人強烈拒絕配合，警方無法繼續調查，所以不了了之。

這份報告看起來沒頭沒尾，但也確實只能如此。

從後續的追蹤報導來看，由於肇事司機的家境不好，他難以全額支付法院判處的賠償金。好在田兆華一直有投鉅額保險，醫院也支付了一筆不小的金額給田芮，加起來一共有一千兩百萬，所以田芮和她母親生活得還算不錯，起碼沒有太大的經濟壓力。

不過整個案件確實存在一些難以解釋的邏輯，證明案件並不如各方說的那麼簡單。梅詩詠為什麼會突然消失？車禍司機為什麼要突然發難？梅詩詠是否真的跟范淮的案子有關係？這些都顯得很奇怪。

賀泱雲那邊已經把案件相關的線索全部整合在一起，在整理後傳到她的電子信箱裡。

賀泱雲說：「我讓宋紓趕緊辦一下手續，明天去醫院問問。」

穹蒼指了指自己。

賀決雲道：「如果妳能說話就帶妳去，如果不能就算了。」

穹蒼第一次被這麼直接地嫌棄，感覺還挺新鮮。

不過，醫院的藥還是很有效的，又一天早上醒來，穹蒼發現自己能說話了。雖然聲音沙啞低沉，聲帶牽動的時候還有點痛，但起碼恢復了一定的功能。只是她脖子上的傷不僅沒有消退，還從紅色轉成了暗紅色，看起來跟中了九陰白骨爪一樣，燈光一暗就能直接去鬼屋就業。

賀決雲見她確實行動無礙，耐不住她的請求，同意帶她出門。

因為要見人，穹蒼讓護理師幫自己在脖子上纏了一圈繃帶，準備等到了街上再買條絲巾。

賀決雲看著那圈繃帶，覺得有點礙眼，不知道是哪裡惹到他了，跟著穹蒼走了一段路，始終無法忽視，便開口：「妳等一下！」

穹蒼不明所以。

賀決雲從口袋裡掏出一支筆，抬起穹蒼的下巴叫她往後仰，在她的繃帶上寫了一句話。

穹蒼根據脖子上的觸感，初步判斷他應該寫了四個字。寫完之後，這人還講究地調整了一下字的筆鋒。

是個精緻的男人。

穹蒼感覺到皮膚一陣發癢，忍著沒咳。路過的護理師看著他們的眼神逐漸轉變。

穹蒼理解，畢竟她也不知道世界上怎麼還會有這麼幼稚的人。

片刻後，賀決雲終於停筆，他盯著看了一會兒，滿意地點頭道：「走吧。」

穹蒼覺得他最後那個眼神的意味十分特殊，形容詞也如此別致，忍不住掏出手機照了一下。

天啊——

賀決雲居然寫了——「違法必究」。

穹蒼：「……」

你可真是一個遵守法律的好青年。

穹蒼頂著這四個字，有種被光芒普照的錯覺。她決定就這麼在外面多晃蕩一下，讓大家欣賞一下這位傻子的神來一筆。

賀決雲毫不心虛，先去三天拿了相關的檔案和設備，然後一路趕往目的地。

D大附屬醫院是一家老牌知名醫院，在休息日的時候非常繁忙。大廳人來人往，空氣發悶，前檯負責指引的護理師正被一群人圍著脫不開身。

這棟多年前建設的樓房已經有了老舊的痕跡，水泥牆上瀰漫著黃斑，地板縫隙也變得不那麼乾淨，尤其是瀰漫在空氣中的濃烈藥味，讓人略感不適。

賀決雲讓穹蒼先在附近等一會兒，自己過去找人打聽。穹蒼就在休息區找了張藍色的連排座椅，在靠牆的位置坐下。

她姿勢坐得端正，腰腹挺拔，視線微微抬高，落在正播放著動畫片的電視螢幕上。她目不轉睛的樣子，讓人誤以為她看得入神。然而這不代表她察覺不到旁邊的女生，正悄悄地打量著她。

那女生的視線起先很收斂，悄悄地往她的脖子瞥去。大概是因為穹蒼的表情太過正氣，她也莫名感覺到被社會正義的光環籠罩，膽子也逐漸變大，到後來甚至變得赤裸裸。

穹蒼難以忽視，轉過頭順著望過去。女生得到回應，彷彿受到鼓勵，立刻挪動一個位置靠近，朝她搭話道：「妳脖子上的這個……圈？還挺有設計感的。上面這個字真好看。」她繼續追問道：「在哪裡買的呀？多少錢？」

穹蒼說：「一家專門研究人體結構，深度了解生命與科學的涵義。員工多數，經驗豐富，對客戶進行專業性需求訂製的機構。」

「哇——」她雖然聽不太懂，卻還是問道：「是哪家公司啊？」

穹蒼淡淡地吐出：「Hospital。」

女生：「……」對不起，打擾了。

賀決雲回來的時候，看見的就是這麼一幅神似分手過後的場景。一個女生背對著穹蒼獨自難過，後者嵬然不動，靜靜地欣賞著兒童節目。

多麼令人感懷流淚的兩個人？

賀決雲說：「妳幹什麼？欺負人家了？」

穹蒼道：「你胡說什麼？我對人向來紳士。」

賀決雲忍笑道：「好，紳士。走吧，我們去二樓。」

三天已經提前聯絡過醫院，向他們拿到了田兆華牽涉醫療事故的那起手術中，共同參與的幾名醫護人員名單，他們會去二樓，就是為了找當初跟田兆華一起進手術室的一名護理師。

賀決雲找到目標的時候，那名護理師才剛帶著新人配完藥，站在樓梯口等待他們。她見到兩人後略顯驚訝，尤其是在穹蒼臉上多停留了兩秒，大概想不到他們兩人會是三天派來採訪的工作人員。不過因為已經在醫院工作了數十年，她很快控制住表情，恢復成無波無瀾。

賀決雲指了指胸口的設備，表示自己在錄音和錄影。護理師點頭示意清楚。三人找了個相對安靜的雜物間進行交談。

賀決雲掏出一本本子，他還是習慣用筆記錄一些關鍵性的資訊：「妳還記得田醫師嗎？」

「當然記得，事情鬧得那麼大，誰不記得啊？」護理師布滿細紋的眼尾爬上一絲困惑，「不過都過去那麼久了，你們現在來，是想打聽什麼？」

賀決雲：「當初那起醫療事故。柳忱，是吧？是他指控田兆華醫師，在醫治他姪子的過程中疏忽大意，導致他姪子術後出現了嚴重的跛腳。」

護理師搖頭，很無奈地嘆道：「手術出現意外是很正常的事，術前我們已經把風險跟家屬說清楚了，是家屬自己表示理解，然後簽字。即便是世界上最優秀的外科醫師，也沒辦法保證百分之百的成功。更何況，當時那位病人的情況很危急，從受傷到就醫的途中耽誤了太長時間，醫師的目標是保住他的命，最後只是跛腳已經很不錯了。如果病人非要拿醫師當神仙看，那誰也擔不起這個責任啊！」

「所以，妳認為田兆華在手術過程中並沒有出現過失。」賀決雲翻到前一頁，看著上面的記錄問道：「柳忱當時說，他是在偷聽醫護人員談話中得知這件事情的，能放出這種風聲的，肯定是當時參與手術的人員。妳知道是誰嗎？」

護理師堅定地反駁道：「反正不是我。我也不知道他是從哪裡聽來的。醫院因為這兩件事，對田醫師召開過無數次鑑定會議，既然連他們都認定這不是一起醫療事故，我認為你們應該相信權威。」

賀決雲抬起頭，說：「當然。我們並不是質疑，只是在整合各方意見，不做個人判斷。」

護理師點點頭，冷靜了下來：「不好意思，我們每天都在處理這些事情，實在是太敏感了。」

賀決雲：「我理解。」

站在後方的穹蒼突然問：「醫師之間的競爭大嗎？」

護理師愣了下，然後點頭道：「當然，哪個行業競爭不大？拚職稱、搶深造機會、刷履歷，有時候連病人都要搶。不管到哪裡都一樣吧？」

賀決雲：「那有沒有可能，是別的醫師在引導柳忱呢？」

「這個我就不知道了，我也不好說。」護理師可惜道：「不過那段時間，田醫師確實是最有機會成為副主任的人選，真的就差一點點。」

兩人隨後又問了她幾個問題，但因為時隔太久，一些過於細節的東西，她已經記不太清楚了。反正在她的印象裡，田兆華是個對待病人很不錯的醫師。

譬如盡量幫病人開便宜的藥；面對各種從鄉下來，連中文都說不好的長輩也表現得十分有耐心；在做手術時，會盡量選擇留疤少、防撕裂的縫合方法，哪怕難度會提高許多；面對經濟條件有限的病人，會告訴他們一些醫用標準外的廉價用藥等等。

田兆華這人比較心軟，導致他工作可能會踩到紅線，其實他的某些行為是要承擔風險的。縱然他給出的用藥建議沒錯，可人性一旦受到考驗，對方不會記得他的好心。

護理師多說了一句：「現在做醫師和護理師的，說話都要小心，運氣不好，碰到一些不講道理的病人就會很麻煩。所以田醫師真的是一名好醫師，現在已經很難碰見這樣的醫師了，畢竟農夫與蛇的故事發生得太多了，大家都得學會保護自己。」

穹蒼唏噓道：「做老師的也一樣。有時候你也不知道，你花費心力教出來的得意門生，會不會是一名變態殺人犯。所以冷漠，是在這個社會生存最安全的姿態。」

賀決雲：「……」為什麼妳們的人生經歷都那麼豐富？

穹蒼一個急轉，聲音拔高道：「不忘初心的人才值得尊重。世界上如果沒有那麼多凡人，又怎麼能襯托出勇者的偉大？」

賀決雲歪頭：「妳是在說……妳自己？」

穹蒼在欣賞自我的同時，也不吝於欣賞他人：「我想這裡面也包括你，否則我不會跟你當朋友的。」

賀決雲受寵若驚：「謝謝。」

穹蒼笑了下，再次面向護理師，拉回話題：「我了解妳的意思了，田醫師是個好人，不存在醫療事故，對吧？」

「如果……我是說如果！」護理師在二人的插科打諢下，精神出現鬆動，終究還是把憋了許久的話說出來，「就算田醫師在手術過程中，出現過小小的意外，可他的技術真的很高明，他最後把人救下了，把結果控制在良好的範圍內。要是換另一個人上刀，或許都做不到他這種水準，他應該被要求償命嗎？」

賀決雲敏感地挑起眉毛，瞥她一眼。

穹蒼認真地思考著這個問題：「從局外人的角度來講，我應該跟妳抱有一樣的觀點。但是從病人的角度來講，鮮少有人能坦然接受自己成為那個低機率。」

這個問題，其實很多人都會做出同樣的選擇。可是公眾對弱勢群體，又有天然的偏向性的，在面對類似爭議時，常常會做出相反的舉動。

護理師說著憤慨起來：「他做過那麼多好事，救過那麼多人的命，只是犯了一次錯，就好像罪不可赦一樣。大家為什麼總是對有能力的人特別苛刻？如果他們能把對自己的寬容，分一點到別人的身上，或許田醫師就不會遇到這種事情了！」

顯然田兆華的死亡，是她十幾年來都難以釋懷的事情。

賀決雲潦草地在本子上寫下幾行字，筆尖在末尾處頓了頓。

護理師驚覺自己說得太多了，又不知道該如何結尾，抿著唇立在原地，想找理由離開。

穹蒼主動說：「妳先去忙吧。有什麼問題需要補充，我們再來找妳。」

護理師疲憊地點了下頭，腳步匆匆離開。

兩人看著護理師的長影在昏暗的走道中搖曳漸遠，跟著離開雜物間。

日光照不進狹長的走廊，就算清潔人員每天及時打掃，空氣裡還是瀰漫著一股潮溼發霉的味道。

賀泱雲從小就不喜歡醫院，他不適地吸了吸鼻子，放慢腳步，翻動手中的冊子。

他剛才並沒有記下什麼重要的東西，只是從護理師最後的幾句陳述來看，田兆光死前或許真的不是那麼「清白」，起碼在柳忱姪子的那場手術中，他可能出現過某個極小的意外。

那個意外，最終被他專業的技術及時補救了，在醫療範圍內，應該屬於正常的風險。可是在被柳忱得知後，他的小錯誤被放大、被追究、被過分苛責。

或許柳忱真的是在醫院的某個地方，意外聽見了這件事，他以外行人的角度堅信自己是對的，不接受專業人士的解釋。醫院對田兆華的維護，在他眼中屬於同陣營人群之間的偏袒，雙方窒塞的溝通，激化了他的情緒，導致他最後做出了偏激的舉動。

賀泱雲收起本子，說：「看來田兆華的口碑不錯，就算過了十幾年，身上沾著那些醜聞，還是有人願意為他說話。」

穹蒼說：「真正互相熟悉的人，應該不容易被外界的評論影響。反而是一些不太熟的人，在對方出事之後跳得最歡快。」

賀決雲：「這倒是真的。」

有人迎面過來，賀決雲止住聲音，等人遠去才繼續道：「不過我們還沒問梅詩詠的事，妳就讓她走了。」

穹蒼笑道：「你聽她的語氣就知道，她是支持田兆華的，差不多算是半個粉絲。那麼，她的觀點肯定是『仙人跳』。問了也沒什麼必要，不如去找第二個人證。」

賀決雲指了指樓上，示意繼續往上採訪。

今天還有一位跟田兆華同科室的醫師在值班，那位醫師現在已經很少待在醫院了，基本都在各處開會，今天他們運氣好，剛好碰上。

賀決雲過去的時候，房裡還有一位病人。中年男人戴著一副黑框眼鏡，正不冷不熱地跟對方講解。

兩人站在門口安靜等候，等這位病人診斷完，上前摸出證件道：「打擾一下，五分鐘。」

醫師已經被知會過，平靜地跟擠在門口的病人點了點頭，示意他們先出去等，起身過去關上房門。

「坐。」他順手拉了兩張圓凳到兩人面前，讓他們自便。扯平白袍，在對面坐下。

賀決雲說：「今天來，主要是想問關於田兆華的事。」

醫師扶了扶眼鏡：「田醫師人挺好的，之前在我們院裡很受重視。長相五官端正，性格大方，平時又很好說話，跟護理師和病患的關係都很不錯。」

賀決雲不著痕跡地審視他：「那場有醫療事故的手術，你知道多少？」

醫師說：「當時我們大家都有討論過。」

畢竟是同行，在手術檯邊站多了，難免會遇到類似的情況。

他對那場手術的敘述，跟護理師所言的相差無幾——相信鑑定會的結果，對田兆華的悲劇表示同情。

這位已經上了年紀的醫師，明顯比之前的護理師老道許多。他開口的語氣、臉上的表情，都在適當的情緒之間切換，同時又表現得十分沉穩，讓人看不出太多東西。就算是穹蒼，也找不到可以套話的契機。

賀決雲察覺到身邊的人換了姿勢，翹起腿，姿態變得懶散，於是他換了一個話題。

「那你知道田兆華跟梅詩詠之間的關係嗎？」

醫師低聲：「梅詩詠？」

賀決雲：「就是那個懷孕後控訴田兆華性侵的女人。」

「哦，她呀。她來過我們醫院，但她不是我負責的病人，所以我對她不是很了解。」醫師的視線下移，望著不遠處的桌角，仔細回憶道：「那個女生看起來挺文靜的，平時很喜歡圍著田醫師轉，偶爾還會送吃的給他。我以為這只是普通的病人為了感謝醫師的表示而已，畢竟田醫師很早就結婚了。唉，沒想到他們最後會發生這種事情。」

賀決雲問：「田醫師平時在醫院很受歡迎吧？」

「是啊，長得帥、事業有成、脾氣又好。就異性緣來說，我還挺羨慕他的。」醫師勾了勾嘴角，玩笑過後又認真道：「但他通常會跟病人保持距離，我們醫院也不太贊同醫師跟病人走得太近。何況大家平時工作那麼忙，哪有那麼多時間？」

「也就是說，是梅詩詠先追求他的？」

醫師淡笑了聲，回答得滴水不漏：「我怎麼知道他們私底下是追求還是感謝？不過這位病人對田醫師挺有好感的。」

「那田兆華有給過回應嗎？你知道他們兩個是從什麼時候開始，建立起男女關係的嗎？」

「我哪有時間關注他們？」醫師端過一旁的保溫杯，擰開後悠悠喝了一口，不慌不忙道，「田醫師蠻注重他人目光的。醫院裡的人都知道他已經結婚了，我幾次在醫院裡看見他們兩個人站在一起，都只是簡單聊個天，沒什麼端倪。再後來那個女生就不來醫院了，性侵這個指控是突然爆出來的，我和同事都嚇了一跳。」

他的眼鏡被杯子裡的熱氣蒸得白濛濛一片，擋住了背後的視線。

穹蒼問：「田醫師跟他夫人的關係如何？」

醫師朝她的方向偏了下頭，大概是覺得她的聲音很奇怪。

「要問怎麼樣嘛……我也不好說。」醫師摘下眼鏡，小心地用衣角擦拭，「田夫人自己也有工作，很少過來探班。我跟田醫師共事那麼長時間，大概只見過他夫人一兩次，聽說兩人是相親認識的。」

他重新戴上眼鏡，無奈地嘆了一聲：「其實做我們這一行的，加班多做一檯手術是很正常的事，平時的時間不那麼自由，對別人的家務事也不是很清楚。田醫師的口碑一向很好，出事前，我們都以為他的家庭關係很和諧，可是妳現在問我，我就不敢下定論了。」

賀泱雲頷首，眼神亂飄，下意識回頭看了穹蒼一眼。穹蒼的眼神平靜如水，半垂著眼皮，也朝他看了過來。

兩人的視線在空中勾了一下，沒能接收到彼此的訊息，又各自帶著困惑移開。

就目前接觸到的兩位證人的口供來看，田兆華的形象就是一個蒙受不白之冤的老好人，跟田芮說得相差無幾。

如果是真的，賀泱雲都要為他垂首嘆一聲「可惜」。

醫師抬起手錶示意道：「我今天還要多看十幾個病人，你們看……」

賀泱雲回過神來：「打擾了，謝謝配合，您繼續忙吧。」

「應該的。」醫師起身相送，「就是不知道，田醫師都已經去世那麼多年了，三天現在重啟調查，是不是因為田醫師的事故有別的隱情？」

賀泱雲放慢腳步，道：「沒什麼，是三天打算針對社會議題做個專題。田兆華醫師的案子，在當時結得不清不楚，家屬希望我們能給個結果。」

醫師了然道：「原來如此。」

第九章　疑雲重重

從醫院出來後，已經臨近中午。兩人在太陽底下站了一會兒，聽到腹腔內一陣響動，決定先隨便選一家餐廳解決午飯。

穹蒼懷念起三天的時間調節功能。因為在她眼裡，阻礙她滿足自己好奇心，譬如吃飯、睡覺、趕路、上廁所等，都是在浪費生命。

賀決雲認為這孩子對自己有很深刻的誤解：「我看妳吃東西的時候挺享受的啊。」

穹蒼憂愁嘆道：「逆來順受罷了。」

賀決雲：「……」妳這個人到底還要不要臉？

大概是他嫌棄的表情沒掩飾住，穹蒼斜睨著他，伸手在虛空點了一下：「申請靜音。」

賀決雲撇撇嘴，不和她計較，走進前面的店鋪。

叫他閉嘴，他懂。表示得還挺委婉的。

兩人隨便吃了一頓，又驅車去找柳忱。

三夭在找人方面的能力十分強大，只要對方沒有刻意隱藏自己的蹤跡，那麼三夭就可以簡單透過帳號註冊資訊聯絡到目標。宋紓昨天已經跟柳忱交流過。

柳忱在電話中得知他們是《凶案解析》工作室的人，爽快答應了他們的請求，並將地址留給他們。因為他還要工作，且工作地點會流動，只能讓賀決雲等人預約好時間再去找他。

在跟他短暫的交流中，宋紓記錄了一些簡單的資訊。

柳忱出獄後，一直在一家裝潢公司工作。不算正職，就跟著同村一個相熟的工頭混日子，做做木活，平時辛苦一點，養家糊口還是沒問題的。

賀決雲找到他的時候，他正在一戶人家裡幫忙裝潢。

現場響動著各種發動機的噪音，一群工人散布在各個角落，臉上蒙著揚起的灰，一時間分不清誰是誰。

賀決雲高喊了數聲，片刻後，才有一人停下手頭的工作朝他們走來。

柳忱的腳有點跛，是車禍留下的後遺症。他當時沒有多少積蓄，根本沒辦法好好治療，後來坐牢，休養得也不好，就落下的病根。

「就是你們啊？」柳忱的聲音帶著社會人的油腔滑調，或許他本人沒那個意思，但聽起來總有種揶揄或諷刺的味道。

他拍了拍自己的頭髮，抖出飛揚的沙塵：「大公司的員工現在都要考核長相了？」

穹蒼說：「哪裡哪裡，在我的智商面前，我的長相還是上不了檯面的。」

賀決雲不自覺用了敬詞：「……您過獎了。」

柳忱走到屋外的樓梯間，單腳踏在略高一階石階上，姿勢不雅地蹲了下去。這個動作能讓他舒服一點。

他的手被灰塵染成了黑色，從同樣變色的口袋裡掏出一根香菸，點燃，狠狠吸了一口。

白煙裊裊升起，遮擋在三人之間。菸草濃烈的氣味迅速擴散在空氣中。

穹蒼等人找不到適合的位置，就往下退了兩階，站在能與他視線平齊的地方，靜靜等著他開口。

真有了能說話的機會，柳忱反而不知道該怎麼開口了。

「那個田兆華……」柳忱臉上的皺紋深深皺起，眼角和唇角都泛著苦意，讓他五官的輪廓變得模糊。鬆垮粗糙的皮膚，足以證明他這幾年的潦倒。

柳忱緩緩吐出一口白煙，罵道：「他就是一個神經病！」

穹蒼怎麼都沒想到，柳忱開口的第一句話會是這個。無論她怎麼分析柳忱說這句話時的表情，都覺得他不像是單純地發洩，而是真誠地這麼認為。

怕他們不信，柳忱還重複了一遍：「他真的是個神經病！」

他說完斂下眉目，唇齒間吞吐出白煙。

「就因為他，我的前妻和我離婚了，孩子也打掉了。我坐了一年多的牢，出來後連工作都不好找，只能跟著老鄉，裝孫子一樣地混口飯吃。一大把年紀了，還沒穩定工作。說出去都沒臉見人。」柳忱聲音低沉，說話的神態比他原本的年紀要老上十幾歲，「你說吧，人這一輩子活著有多難？不管你前半輩子有多努力，只要走錯一次路，下半輩子就全沒了。尤其那條路還不是你自己走錯的，我是造了什麼孽啊？」

穹蒼若有所思，把手放進口袋裡，目光若有所思地在柳忱身上轉了一圈。

賀決雲說：「他都被你撞死了，你還說他神經病，這不太好吧？他可是連命都沒了。」

「什麼叫『我撞死他的』？」柳忱手上的煙灰落下，灑在他的褲子上，他渾然不知，挺著脖子道：「是他自己撞過來的，是他故意的！」

穹蒼饒有興致地靠近了一點：「哦？」

賀決雲瞥她一眼，繼續說：「不對吧？田兆華有什麼非死不可的理由嗎？他的那場手術，醫院並沒有追究他的責任，他還在照常上班。他那麼年輕，醫術高明、前途無量，現在還有很多人願意替他說話，不至於跟你同歸於盡吧？」

「我怎麼知道？」柳忱揮舞著手，煙灰簌簌落下，「我撞死他幹什麼？說得現實點，做手術的是我姪子又不是我兒子，他是腳跛了又不是命沒了，我跟他之間都隔了一輩關係，有必要為了這個去跟田兆華拚命嗎？我自己也是有老婆的！我不需要為自己考慮嗎？我又不是瘋子！」

柳忱顧不上自己的手被火光燙到，直接把菸頭掐在地上：「我承認我超速，因為那段路平時的車流量不大，附近也沒有監視器，我路過的時候一向開得比較快。但是我在開過去之前認真看過了，路口沒車，也沒有行人。我按了一下喇叭，想衝過最後兩秒的紅綠燈，結果田兆華突然竄出。他在我的視線死角，『哐』一個鬼探頭，你說我躲得了嗎？這也叫『我想殺他』？我怎麼知道他會在上班時間出現在那個鬼地方！」

穹蒼雙手搭在胸前，斜靠在側面的牆上。

賀決雲見她一直不出聲，解釋了一句：「鬼探頭就是……」

穹蒼：「我知道，行人或車輛在視線死角突然出現，他剛才解釋了。」

柳忱又從口袋裡掏出一根菸，顫抖地夾在指尖點燃，在火光亮起後，迫不及待地塞進嘴裡，緩解自己的情緒。菸草的苦味在他乾澀的喉嚨裡來回盤旋，讓他原本就沙啞的聲音變得更加粗糙。

「我都不知道我怎麼……就被他纏上了。」柳忱扯起嘴角，笑得比哭還要難看，「直到現在，還有人說我是個瘋子，說我因為醫療事故，開車撞死他。我呸！我撞死他？我能控制他突然變道，讓他衝出來給我撞？你們自己去看當年的監視器畫面啊，我的行車記錄器拍得清清楚楚，我撞上去的時候，根本不知道裡面坐的人是他！可是根本就沒人相信我！我沒錢，對抗不了醫院，社會上沒有人願意相信我！」

他提起這件事，怒火又被勾起。多年的悲憤在長達十幾年的壓抑後第一次爆發，點燃了他的理智。他激動罵道：「法院判我一半責任，我坐了一年多的牢，賠得傾家蕩產，老婆也跑了。他拿著保險公司的賠償金，讓家裡的人過得逍遙快活，還把自己臭得要死的名聲洗得乾乾淨淨。他算計得可真好，就不是個東西！」

他粗暴地捶打著自己的腿，怨恨自己的不中用：「我還殘廢了！殘廢了！殘廢了！」

「我不是很明白。」穹蒼單手摸著自己的耳垂，低聲開口道：「他的動機……是什麼呢？如果他還活著，他未必賺不到一千兩百萬。他有家人，跟你也不算有什麼深仇大恨，他為什麼要用這種激烈的方式來尋死？總不可能是為了騙保險吧？說是陷害……邏輯上也說不通。」

「我怎麼知道？」柳忱站起來，因為坐久了腿有點發麻，一瘸一拐地往下走了一階，「怎麼？你們也不相信我？」

穹蒼幽深漆黑的眼睛瞟去，單手按住他的肩膀，不輕不重地向後一推，示意他坐下。

柳忱不滿地振臂揮開，一個轉頭對上她的視線，一眼望進她深邃平靜的瞳孔。

這人的眼神裡沒有懷疑或憤怒，平靜得猶如一灘死水，卻閃耀著某種似乎能洞察一切的光芒。她胸有成竹的氣質，彷彿在告訴他，只有她能幫助他。

柳忱莫名像當頭澆了一桶冰水，渾身直豎的毛髮都安分下來，即將說出口的話語也被堵回了胸腔。

穹蒼再次按住他的肩膀，這次柳忱順從地坐下了。

賀決雲緊繃的肌肉也放鬆下來。

穹蒼問：「你經常走那條路嗎？」

柳忱點頭：「我們公司要送貨，我基本上都是走那條路。通常會在早上六點到七點之間經過。那天，田兆華一直把車停在路口，等我出現了才突然開出來。出現得那麼巧合，他肯定是故意的。」

穹蒼：「那麼，以你對田兆華的了解，你覺得原因是什麼？」

柳忱湊近菸嘴，狠狠吸了一口。他大馬金刀地坐著，兩手搭在膝蓋上，細細思考了很久才猶豫道：「我覺得他是計畫好的，他想洗白。」

他說完抬起頭，想從穹蒼的臉上看出哂笑或諷刺，畢竟這種猜測太荒誕了。

穹蒼連姿勢都沒變，只是淡淡說了句：「這麼刺激的洗白方式啊？」

「我坐牢的每一天我都在想，我真的——」柳忱抓了把自己的頭髮，艱難地組織語言，最後才開口，「我想太多了，經常做夢，我也不知道我細節記得對不對。那天說是超速，三個車道寬的馬路，限速六十公里，我其實也只開了八十公里而已。我開的是貨車啊，承重量大，車速停不下來。田兆華神出鬼沒，從前面的路口垂直衝出來，我反應慢了點，但真的已經冒了翻車的風險用力踩下剎車。結果轉完方向盤後輪胎打滑，朝著駕駛座撞了個正著，後車廂從旁邊甩出去，又把他的車撞到護欄上。我……真的沒話說。」

穹蒼說：「也就是說，你當時分心了？」

柳忱一臉苦相：「什麼分心？這位小姐，妳沒開過車吧？緊急情況下，決定反應速度的時間連一秒都不到，在那種情況下，人哪有空想那麼多？你的手腳比你腦子轉得快，只能全憑經驗。我哪能料到輪胎打滑會打成什麼角度？」

「嗯……」穹蒼沉吟道：「所以如果沒有這些變數，憑你的技術，不至於把他撞死，對吧？」

柳忱悶悶「嗯」了一聲，懊惱道：「說什麼都沒用了，他已經死了，也怪我自己。」

樓梯間的三人都安靜下來。柳忱彈了彈菸頭的灰，重重吸了一口。

一位工人搬著一袋子的垃圾走過來，暫放在前面的空地上，抬頭瞅了他們一眼，又帶著好奇的表情走回去。

賀決雲的思緒有點亂，畢竟柳忱給出的資訊，跟在醫院裡得到的相差太多。兩者的形象幾乎無法重疊。令他不可思議的是，他還覺得柳忱的說詞很有道理。

賀決雲再次徵詢地看向穹蒼，穹蒼……也再次沒有默契地坐到地上，錯過了他的暗示。

賀決雲放棄了，說：「照你這麼說，田兆華這人夠狠啊。」

「你們不要以貌取人嘛！」柳忱攤著手急道：「他長了一張好脾氣的臉，而我長了一張流氓的臉，對吧？我從小到大沒做過壞事……誰知道人到了壯年，居然殺人了。」

穹蒼用手掩著口鼻，問道：「醫療事故的事，你有明確的證據嗎？」

柳忱整張臉都被白煙籠罩了，他這口菸抽得特別狠：「什麼樣才叫做『明確的證據』？妳以為我是故意去醫院鬧事嗎？那可是他們醫院的人自己說的！說田兆華做手術的時候，什麼肌腱什麼縫合出了錯。他居然在手術中恍神發呆！狀態不好上什麼手術檯？那是你證明自己的地方嗎？」

穹蒼問：「誰說的？」

「他們的長官啊！」柳忱大聲說道：「他們長官訓斥田兆華的話。我本來想找他向他致謝，結果讓我聽到了這些事情。後來我才知道，那段時間，有一個女人正在指控他性侵。他在醫院裡的名聲都臭了，升官的事也差不多完蛋了，就糊弄我們這些外行人。醫院本來想讓他放假，讓他在家裡避風頭，可是他不肯，非要上手術檯。我家人就是看他面善，相信他，才指名他。沒想到在他眼裡，我們就是群紓壓玩具。妳說我能不氣嗎？我能不鬧嗎？我們是把活生生的一條命交到他手上，他一個恍神，一個人的一輩子就毀了！病人對他們感恩戴德，他們只拿這份工作，當他賺錢討生活、提升地位的職業。憑什麼？這不公平！」

穹蒼認真地看著他，露出略顯嘲弄的表情，只是很快就消失了。

賀決雲自己就是老闆，他覺得柳忱的想法有些魔怔了，最後還是忍不住替田兆華辯解一句：「長官訓話的時候，都是往高水準的方向去的，恨不得底下的員工一個個褪去凡身，做個沒有感情且不會失誤的機器人。那些話聽聽就好了，根本不能當真。」

他認為田兆華並沒有柳忱說得那麼不堪。他在醫院裡可以擁有那麼好的口碑，多少是他的真性情，一個正常人沒辦法偽裝得那麼久。

賀決雲：「人好好在地家休假，不比工作紓壓啊？田兆華那麼年輕就可以晉升為副主任，說明他的醫術真的不錯，不單純靠面善。你不知道你姪子當時傷得多重？從結果來看，應該比你們預想的好很多了吧？你對人家的揣測，是不是有點太陰暗了？」

柳忱氣勢不足，卻仍舊硬著頭皮嗆道：「那也不能否認他手術失敗啊！」

賀泱雲說：「鑑定委員會的結果比較權威。一檯手術那麼長的時間，誰能保證自己不會疲憊？如果人家非要訓話，總能找得到責罵的理由。那是他們內部之間的勸誡，不等於醫療事故。你難道不理解嗎？」

穹蒼頂著發癢的喉嚨加了句：「你說得對。」

賀泱雲挑了下眉，發覺她的聲音更加低沉了。短短四個字，發出來的質感跟毛玻璃似的，應該是吸了太多二手菸，讓本就不頑強的喉嚨雪上加霜。

賀泱雲勾勾手指，示意她乖乖到下面去，然後上前抽掉柳忱的菸，直接在地上掐滅。

柳忱茫然地抬起頭：「幹什麼呀？」

「我們的病人在這裡呢。」賀泱雲點著下巴示意道：「再這樣下去，也要出事故了。」

穹蒼挪動到他的身後，然而狹小的樓梯間裡，空氣大同小異，並沒有好到哪裡去。她的表情不太好看，輕咳了兩聲。

賀泱雲一巴掌呼過來，捂住了她的臉，手指間還有股淡淡的香氣。

穹蒼差點要窒息了。

柳忱忽略兩人之間不正常的互動，問道：「你們三天會如實報導吧？不會跟醫院串通吧？」

穹蒼扯開賀決雲的手，問了句：「你要求他賠償多少錢？」

柳忱猶如被刺中痛處，臉上肌肉顫動，保持著鎮定，問道：「什麼意思？」

「你不是要求賠償嗎？」穹蒼問：「你當時要求田兆華賠償多少？」

柳忱：「這不是很正常嗎？」

賀決雲附和道：「就是隨便打聽一下，這有什麼不好回答的？」

柳忱加重聲音：「八百萬！我姪子還年輕，這個價格不過分吧？」

「你私下採用了什麼方法，追討這個『正常』的八百萬？」

穹蒼的語氣依舊平靜，卻刺得柳忱極為難受。

賀決雲心想果然如此，問完話，穹蒼的溫柔和體貼就被消磨殆盡了。

這個習慣過河拆橋的女人。

如果說，先前柳忱一直認真地表現出一個無辜受害者的形象，那麼在穹蒼問出敏感性的問題後，他的臉皮就有點繃不住了。

對於這個問題的迴避，讓他完美受害者的面具上出現了一絲裂縫，而他並沒有自己想像得那麼會說謊。

在他尚在思考的空檔，穹蒼點了點頭：「我明白了。」

她沒有多問，急於遠離這個煙霧繚繞的地方，快步拉開前面的木門走了出去。

穹蒼在車裡坐了半個小時，賀決雲才喪著臉回來。

他拉開車門，聞到一股清涼的薄荷味，嘴角抽了抽，道：「真是令人懷念的喉糖。」

穹蒼大方地要和他分享，賀決雲拒絕道：「算了，妳還是自己享受吧。」

穹蒼朝著他的方向吹了口氣，賀決雲莫名覺得車裡的味道變得更重了。

「妳把自己當作是空氣清淨機嗎？」

穹蒼：「你身上的菸味太濃，飄過來了。」

賀決雲低頭整理自己被拉到變皺的袖口，說：「穹蒼女士，妳下次放地雷之前，能不能先考慮一下隊友？柳忱非拉著我要跟我解釋，哭訴自己慘痛的一生。妳不只變臉的速度快，跑路的速度也快，過分了啊。」

穹蒼表示自己虛心接受批評，下次一定改進。

不過，誰能保證「下次」這種虛詞呢？

賀決雲心裡還是有些畏懼的，他趕著把車開離社區，等上了街道，確認自己是對方追不上的男人，這才安心。

他開了一點窗戶，讓風吹進來散散味道。在聽覺逐漸適應呼嘯的風聲後，才開始思考起正事。

賀泱雲一手握住方向盤，和身旁的人說道：「柳忱的證詞，跟醫院裡的人的說詞截然不同，到底是哪邊在說謊？」

「倒也不算截然不同，只是每個人都在為自己說話罷了。」穹蒼翻出一瓶冰水，咳了兩聲才繼續往下說：「中和一下說不定就是結果。」

賀泱雲偏頭看了她一眼，聽她發聲吃力，本來是不想和她說話的，卻還是忍不住問道：「怎麼中和？」

穹蒼：「看他們都在刻意強調什麼。」

賀泱雲一直等著她的後半句話，結果車廂內一片安靜。

「沒了？」

穹蒼挑眉，指了指自己的喉嚨，示意他自己領悟。

又到了猜猜看的環節。

賀泱雲以前覺得穹蒼這人經常語不驚人死不休，對冷笑話的過度追求，已經造成他們之間的交流障礙，等她現在半啞了，他才幡然醒悟，沒有默契的兩人，還是需要透過語言來搭建溝通的橋樑。

會說話的穹蒼真是太可愛了。

什麼心靈交流過於委婉，人與人之間還是要坦誠點。

賀泱雲一邊開車，尋找自己熟悉的道路，一邊努力把雙方的證詞再次整理一遍。

他回顧的速度有點慢，因為今天的交通像往常一樣堵塞，龐大的車流量總是會打斷他的思緒。

等駛過兩個紅綠燈的時候，賀決雲終於想明白了。

「D大附屬醫院的醫師跟護理師，一直在強調田兆華的人緣和口碑，著重他『為人很好、關心病人，有足夠的專業技術和職業素養』。而在提及手術中是否存在失誤的情況時，兩人一致認為應該要相信鑑定委員會的結果。醫師表現得非常中立，刻意拉遠跟田兆華之間的距離。而護理師情緒比較激動，不停用社會爭議點對我們進行提問。兩人在一定程度上，都迴避了這個問題。」

穹蒼點頭。

手術失誤根本不是爭議點。只不過，院方認為田兆華的小型失誤屬於正常風險，不構成醫療事故。

賀決雲：「所以田兆華被長官訓話的事情應該是真的，柳忱的確聽見了他們的對話，然後才去醫院找碴。」

穹蒼：「我認為醫師跟護理師的證詞基本可信。他們對同事有一定的維護，但是並沒有太明顯的謊言。至於柳忱……」

每個受害者都習慣把自己塑造成弱勢的模樣，以求得旁觀者的同情。對此，一方面要突出自己的優秀跟無辜，另一方面就要不惜餘力地證明對方的無恥跟卑鄙。

柳忱的證詞就是這樣的。

從一開始，他就向穹蒼等人敘述了自己多年來的落魄，毫不掩飾自己腿部的缺陷，並將田兆華描述成一個精神失常、心術不正、表裡不一的人。他用自己強烈的情緒跟憤慨的指責，掩飾邏輯間的漏洞。

如此兩極化的人設，說明他對田兆華懷有強烈的負面情緒，不曾因為自己致人死亡而感到愧疚。

穹蒼說：「剔除掉他所有主觀性的描述，那些都是不可信的。」

柳忱在敘事過程中表達清晰，沒有出現卡頓、顛倒或重複的地方。從他的措辭跟態度來看，他應該演練過這樣的場景，在兩人找到他之前，他就打好了草稿。

穹蒼：「雙方的口供之間，唯一的矛盾點是當初那起車禍，究竟是誰撞了誰。」

賀決雲皺眉，在紅綠燈前緩緩停下，手指敲擊著方向盤的側面：「院方都默認為是柳忱伺機報復，害死田兆華，所以兔死狐悲，深感義憤。而柳忱堅持自己是被誣陷的。」

「這個其實不難求證。因為行車紀錄器畫面肯定還保存在檔案裡，柳忱沒必要說那樣的謊。」穹蒼舔了舔乾澀的嘴唇，說：「而且柳忱有一點說得沒錯，他不太可能會為了姪子去撞死田兆華。把人撞死後，他要去哪裡拿錢？」

柳忱鬧了那麼久，主要還是想拿錢。

穹蒼猜測，柳忱當年應該知道那起手術不屬於醫療事故，卻還是藉著機會敲詐田兆華一筆。可惜醫院經常面對醫患關係，有自己的判斷，最終選擇維護田兆華，讓他的算盤落空。

穹蒼擰開瓶蓋喝了一口水，然後道：「我認為柳恍一計不成，應該又使用了一些不太正當的手段進行敲詐。」

賀決雲狐疑道：「所以在柳恍的緊逼之下，田兆華走投無路，被迫選擇了這麼凶險的方法，來幫自己洗白？」

穹蒼正想開口，眼睜睜看著後照鏡裡某輛車的距離越來越近，不斷歪斜過來的車頭上寫滿了「要強行插隊」的倔強，隱隱還有種要硬碰硬的趨勢，當即臉色一變，急道：「前面前面！你不要看我呀！」

賀決雲被她陡然的高音喝得一哆嗦，衝著那司機低聲罵了句，趕緊放慢速度，讓出一個位置給對方。心想這聲音不是挺高亢的嗎？

穹蒼差點嚇出身冷汗，眉眼都垂下去，深感疲憊。

「我的開車技術很好，而且現在才時速四十公里，頂多撞凹一個保險桿，不用怕。」賀決雲極力證明自己，可是穹蒼並不相信，他只能道：「妳接著說。」

穹蒼困惑：「說什麼呢？田兆華只要腦子沒壞，你做的假設就不成立。」

賀決雲隱隱認為穹蒼是在影射自己。

他一顧撇嘴，二顧皺眉，三顧黑臉，頻頻回望，看得穹蒼直呼害怕。

她急忙轉移話題：「說明應該還有別的原因，讓田兆華起了自殺的念頭，只是恰好那時柳忱跟蒼蠅似地在他身邊亂轉，斷了他最後一根名為理智的弦。他怕自己死後，柳忱會繼續騷擾他的妻子和女兒，就決定帶著柳忱一起沉淪。你別忘了，我們是從誰的身上牽扯出田兆華的。」

賀決雲終於想起那個都快被他遺忘的人：「梅詩詠？」

是啊，她才是最關鍵的人物。范淮案件的證人，指控田兆華性侵，且懷有身孕的病人。

不管田兆華跟梅詩詠是什麼關係，他婚內出軌是既定的事實，畢竟梅詩詠懷孕了。

穹蒼說：「兩人在醫院裡並不張揚，所以醫師跟護理師都沒有發現他們之間的關係，更不了解梅詩詠是什麼樣的人。」

賀決雲：「柳忱連梅詩詠的名字都不知道，對這件事情多半不了解。」

身為案件主角，梅詩詠的存在感居然如此稀薄。

穹蒼說：「如果梅詩詠真的被性侵，亦或是想藉仙人跳來敲詐一筆，那她應該要去醫院鬧得比柳忱還要凶才對。可是為什麼院方的人在回憶起這件事的時候，注意力大部分都集中在柳忱的身上？好像梅詩詠行事過分低調一樣。」

確實有點違和。

每次一到這種情感分析的環節，賀決雲就深感頭痛。

他正要藉自己單身多年的經驗進行推導，就聽見隔壁傳來一陣震動的「嗡嗡」聲。

穹蒼從口袋裡翻出手機，看了來電顯示一眼，接起來。

「方起。」

這不是知心哥哥嗎？免費外援來了？

賀決雲默默關上車窗，側過耳朵偷聽。

方起的嗓門中氣十足，就算沒開擴音，都能讓賀決雲聽得清清楚楚。

『我現在要過去探病，提前跟妳說一聲，妳不要跟青蛙似地到處亂跑，等我前來慰問！』

穹蒼說：「D大附屬醫院。」

『等等，妳的嗓子怎麼了？』方起聽見如公鴨喊叫一般的聲音，愣了下，隨後義憤填膺，小宇宙爆發道：『賀決雲是幫妳請了哪位庸醫？他怎麼搞的，怎麼越治越嚴重了？就妳這樣還敢出門亂跑，是不是去幫他工作了？我說姓賀的到底有沒有點良心！他那個臭不要臉的男人，根本沒把妳放在心上！養匹騾子，偶爾還能幫牠鬆鬆草；賀決雲那一堆錢放在銀行，是為了養蠹蟲嗎！』

穹蒼：「說明他沒把我當騾子？」

方起罵道：『就妳那點出息！』

旁聽自己被詆毀的賀決雲，瞬間把方起拉入敵對陣營。

這種人在古代是會被斬首的。就因為一點忌妒，成天見不得別人好，專門破壞他人感情和諧，實在太過卑鄙。

他該慶幸沒讓人聽見，否則那個庸醫一個剪刀腿，就能讓他的脖子彎曲一百零八次。

賀決雲故意大聲道：「妳別跟這種人廢話，好好養養妳的嗓子。」

方起勃然大怒：『他居然還偷聽妳打電話？他對妳一點都不尊重！他就是想要妳機智的小腦袋！」

穹蒼心想，這兩人在一起怎麼會那麼熱鬧？以前不是客客氣氣的嗎？男人之間的友誼真是瞬間就崩裂了。

她做了個手勢，示意賀決雲暫時不要出聲，然後單方面宣告方起的勝利：「他現在被你氣走了。」

方起道：『妳就在D大醫院那裡蹲著，我馬上過去！D大醫院裡的耳鼻喉科專家立場堅定，我也認識，妳以後聽他們的醫囑，別跟著賀決雲亂晃。』

賀決雲氣得牙癢癢，恨不得現在就跳出去和他吵架。

穹蒼含糊地說：「等你一起吃晚餐啊。」

『好，等我。』方起大感滿意，『現在知道誰是自己人了吧？所以我說，別那麼輕易就被人拐跑了。』

穹蒼掛斷電話，又端起水淺淺地喝著。

賀決雲偏過頭，看著她仰起脖子，側面的弧線微微起伏，緊綁的繃帶讓她看起來異常脆弱，語氣不由輕了點，卻還是有點生氣：「去D大醫院？」

穹蒼說：「當然是先去能救我命的地方。」

賀決雲：「那方起……」

穹蒼展現自己的無情本色：「讓他幫忙跑個腿，我不想再動了。」

原來這就是……心情的大起大落。

賀決雲勾起唇角，掩不住得意的神色。

這才叫自己人啊。

兩人回到醫院後去找了一下醫師。在得知穹蒼在出門期間吸了不少二手菸，醫師臉色慍怒地罵了賀決雲兩聲，才出去幫她開藥。

賀決雲也不知道為什麼，自從認識穹蒼以後，就承受了許多莫須有的罵名。

他現在連澄清的欲望都沒有，坐在一旁用手機點外送。

穹蒼說：「豪華一點，畢竟是要用來賠罪的。」方起那脾氣可不好哄。

賀決雲冷笑了兩聲：「妳放心，我幫他九菜一湯翻一倍，絕對豪華。」

穹蒼聞言又有些不好意思：「那倒是不必。」

賀決雲：「還是要的。」

穹蒼百無聊賴，隨意摸索起身邊的東西。

賀決雲點完外送後一抬頭，就看見穹蒼抱著自己送的那束白玫瑰，喜歡得愛不釋手。

她的長指在花瓣上撫弄，柔和的眼神靜靜地看著花束。身上被夕陽的餘暉打下了溢彩的流光，每一個細節都透著恬靜與美好。

她這麼含蓄內斂，身體卻很誠實。

賀決雲移開視線，假裝沒有看見。

又是一個轉頭，畫面破碎，穹蒼居然在那裡扒花瓣，辣手摧花。

賀決雲大喝道：「妳在幹什麼？」

穹蒼還沒來得及抬頭，手上一空，花瓶已經被人搶走了。

她嚇了一跳，抬頭看向賀決雲。

賀決雲的表情比她還要無辜、還要悲憤。他居然……先聲奪人。

穹蒼眨了眨眼，說：「你不是送給我了嗎？」

賀決雲憤怒道：「妳怎麼能這麼不珍惜別人送妳的禮物？穹蒼，妳太過分了！」

穹蒼小小的腦袋頂著大大的迷惑。

「只可遠觀，不可褻玩啊？」

賀決雲見她還意識不到自己的錯誤，更傷心了：「說明妳對送花的人一點都不在乎！」

穹蒼委屈道：「花瓣枯萎了，我就幫它修一下！」

「不可以！」賀決雲把花瓶擺到高處，「這花瓣不是挺好的嗎？旁邊捲起來也很好看。眾星捧月，妳得容許它襯托。」

穹蒼看著他犯病，憋了半晌，還是咽不下這委屈：「幹嘛把花放得那麼高？它擺著不是為了給人看的嗎？」

「不是。」門口突然傳來一道諷刺意味十足的聲音，「畢竟這是他易傷感的少男心。」

賀決雲被噎了一口，大腦空白，一時找不到威嚇的話，只能板著一張臉道：「你又在胡說什麼呢！」

穹蒼幽幽嘆道：「爸爸對女兒的少男心啊？」

醫師走過去拿起花瓶，塞進穹蒼的懷裡，不客氣道：「踐踏它。」

賀決雲想伸手阻止，又定在原地。表情激烈變化，在經過一番痛苦的掙扎後，最終還是看開了。他突然豁達地說：「不就是一束玫瑰嗎？妳想要的話，我可以送一卡車給妳。算了，隨妳玩吧。」

穹蒼瞥了他好幾眼，最終還是決定細心呵護。

畢竟賀決雲的心看起來挺易碎的。

穹蒼把玫瑰擺回床頭，像放貢品一樣，不敢再去動它。

大概是心理作用，仔細看久了，花瓣蜷起的邊緣處還真有點殘缺的美。

穹蒼緩緩移開視線，覺得再聰明的大腦，也會受到笨蛋的影響。

人類的意志力真是太薄弱了，好可怕。

正當她在亂七八糟地亂想的時候，方起打了通電話過來。

穹蒼快速接通，對面響起熟悉的聲音：『我到醫院了，妳在哪裡？』

穹蒼說：「你去二樓，找一個姓潘的護理師，四十歲左右。」

方起語氣輕快，好脾氣道：『等等啊。』

穹蒼掛掉電話，把手機交給沙發旁的賀決雲。

賀決雲停下遊戲，一臉茫然地接過來。他看了看手機，又看了看穹蒼，用左側高聳的眉毛表示自己的疑問。

穹蒼示意他拿著。

五分鐘後，方起再次打了通電話過來。賀決雲沒有防備，手指一滑接了起來。

他還沒放到耳邊，就聽見方起那無法平靜的罵聲。

『我靠！妳人呢？護理師說妳早上就離開了，妳居然騙我！妳又騙我！妳這個沒良心的東西，妳變了！』

賀決雲：「……」怎麼現在都有「代替挨罵」這種職業了？真當他是專業的？

穹蒼等對面發洩完，才淡定地接了過來，點開擴音，道：「麻煩把手機遞給護理師。」

方起的呼吸變得沉重，又沒辦法跟她計較，朝她哼了一聲。片刻後，電話對面的人完成了交接。

『喂。』護理師問道：『是今天早上過來的那位女士嗎？』

穹蒼說：「是的，我還有件事情想再請教您。」

護理師：『妳說。』

穹蒼把手機放到桌上，擺在正中央，在賀決雲的身邊落座：「關於柳忱，就是那個撞死田醫師的司機。在田醫師出事之前，他們之間發生過激烈的衝突嗎？」

護理師的聲音跟著激動起來：『他之前來醫院的大廳裡大哭大鬧，纏著別的病人造謠。舉著橫幅或照片守在科室門口撒潑，警衛趕都趕不走。後來還去院長辦公室進行投訴。田醫師就是脾氣太好，沒跟他起正面衝突，一直繞著他走。醫院裡其他人的工作都被他影響了。像這樣長期騷擾，誰受得了啊？』

穹蒼身體前傾，靠近桌面：「還有什麼更過分的行為嗎？」

『當然！我想想……』護理師說：『我記得有一次，田醫師來醫院的時候，臉都被打腫了。那天他實在受不了，就選擇了報警。可惜最後田醫師還是跟他和解了。』

只會覺得全世界都欠他。』

穹蒼問：「為什麼和解？」

護理師輕吐了口氣：『我也不知道。多半是田醫師耐不住對方的懇求吧，他一向很好說話。可惜對付柳忱這種人，理解根本沒有用。他哪裡會把別人的好意放在心上？他只會覺得全世界都欠他。』

穹蒼聽見背景裡傳來方起的一聲冷笑，令人有些毛骨悚然。

護理師瞥了方起一眼，沉默片刻後終於醒悟過來，問道：『你們今天是不是去見柳忱了？他是不是跟你們說了田醫師的壞話？我跟你們說，他的話根本不能信！他就是想把田醫師拖下水！跟條瘋狗似地不停咬著他！』

「我知道，我知道。」穹蒼安撫了句，又問：「那段時間，還有什麼會對田醫師產生劇烈影響的事嗎？比如田兆華被人控訴性侵。」

電話對面安靜了一下，然後才道：『梅詩詠的事其實沒有鬧大。我看田醫師……表現得挺正常的。不過他一向不喜歡在工作的時候發脾氣。』

穹蒼瞇起眼睛：「沒鬧大？」

『嗯，梅詩詠根本沒來醫院鬧。只有兩個員警在接到報警電話後，帶田醫師去調查了兩天，然後就把人放回來了。我們內部的人都知道這件事，外面知道的人卻不多，頂多就是捕風捉影。柳忱不知道從哪裡聽來這個消息，後來還是他把這件事散布出去的呢！』護理師咋舌，每說一段話都不忘踩柳忱一腳，『他根本就是胡鬧！連員警都沒給個結果，就他傳得繪聲繪色。』

穹蒼狐疑道：「梅詩詠的羊水鑑定報告，不是在你們醫院做的嗎？」

『的確是在我們醫院做的。但這涉及隱私，醫師不可能到處跟人說。』護理師沉吟兩聲，又繼續道：『當時有些同事知道有這麼一個人，但不知道那人是梅詩詠。他們同科室的醫師彼此之間比較熟，是見過田夫人來找田醫師，聽他們談話才知道的。』

穹蒼輕輕「咦」了一聲，換了個姿勢，再次問道：「那次田女士跟田醫師吵架了嗎？」

護理師不太確定道：『沒吵，兩人都挺冷靜的。關著門，沒砸東西，也沒大聲嚷嚷，應該還好吧？』

方起嘀咕了一句：『還挺豁達的？』

大概是被護理師教訓了，方起又快速認錯道：『對不起。我只是從心理醫師的角度覺得幾人的行為不符合常態，沒有別的意思。』

這個消息出乎幾人的預料，不過倒也解釋了為什麼早上護理師不提梅詩詠的原因了。在他們眼中，這或許只是一個小小的插曲，與田兆華的死亡毫無關係。

只是在這種合理之下，另一種不合理顯然更加突兀。

為什麼一個被人指控性侵，且被警方帶走調查的男人，可以表現得如此淡定？為什麼一個知道自己丈夫使用了不正當手段，迫使另一個女人懷孕的妻子，可以保持這樣的心平氣和？

難道田兆華的妻子，是一個情緒控極度冷靜的人嗎？

賀決雲歪頭看了穹蒼一眼，見她眉頭輕輕皺起，正用力地吞咽口水，以此緩解喉嚨的乾澀。這動作讓她看起來像惡鬼投胎。

電話對面嗡嗡地響，像是護理師跟方起槓上了。這兩人應該原本就認識，正在互相傳授彼此的人生哲學。方起深感自己的專業水準被冒犯，積極與她抗辯。

賀決雲伸手把手機挪到自己面前，開口道：「也就是說，梅詩詠的控告並沒有對田兆華造成太大的影響，起碼明面上是這樣的。雖然她選擇了報警，卻還是在意田兆華的名譽。」

護理師停下和方起的爭吵，重新走到安靜的地方，回道：『對，那段時間，大家私下討論了一遍，沒過多久風波就過去了。田醫師可以安全回來，說明檢方最後沒有提起公訴，所以強姦多半不是真的吧。田醫師跟梅詩詠的關係……我認為是偏向於私生活的範圍，這個我也不好多說。』

刑事犯罪跟個人作風，完全不是同等級的問題。梅詩詠幫田兆華留了面子，田夫人聽起來也是一個理智溫和的人，加上田兆華還有一個女兒，怎麼想都沒有因此自殺的道理。

那麼穹蒼之前提出的假設就不成立了，難道這真的只是一起巧合的車禍？

穹蒼問：「那段時間，田兆華真的沒有異常的舉動嗎？」

『應該沒有。』護理師猶豫了下，說：『抽菸抽得凶算嗎？那段時間他特別常抽菸。以前他怕病人不喜歡，會按時換衣服，身上通常沒什麼菸味。可是那段時間，一靠近他就能聞到很濃的菸味。大概是累了吧。』

賀決雲身體朝後一仰，心想這反常可大了。

護理師那邊沉默了會兒，不自在道：『方醫師從剛才開始，就一直插腰瞪我，還陰陽怪氣地冷笑，你們之間是不是有什麼誤會啊？』

穹蒼笑了聲，說：「沒什麼，妳可以把手機還給他了。謝謝妳的配合。」

手機重新回到方起的手上，方起帶著暴風雨前最後的平靜，問道：『穹蒼，妳人到底在哪裡？妳什麼意思啊？妳今天必須給我一個解釋。』

穹蒼把自己所在的醫院地址說出。

方起的平靜未能持續太久，直接爆發：『穹蒼，妳不要太過分！妳拿我當工具人就算了，還只是個負責遞電話的工具人，妳以為我的時間和感情那麼廉價嗎？』

穹蒼真誠地說：「請你吃飯。十八菜一湯，向你賠罪怎麼樣？」

方起翹著尾音：『妳少給我插科打諢！妳以為就這麼算了？我告訴妳，我現在是妳高攀不起的男人！反正今天已經到這裡了，我要去見我的恩師了！再見！』

他「啪」地掛斷電話，帶著最後的驕傲，彷彿自己才是那個占據主導地位的人。

賀泱雲抽了抽嘴角：「他不來？豈不是可惜了十八菜。」

穹蒼收回手機，極有把握地說：「他會來的。」

賀泱雲：「妳確定？」

穹蒼向賀泱雲遞出一個意味深長的眼神，一直以來無法實現表情讀取的賀泱雲，第一次清晰讀出了她的意思——你還不懂你們男人的口是心非嗎？

賀泱雲：「……」為什麼他要懂？

第十章　錯失的機會

一個小時後，方起還是實踐了打臉理論，邁著他高貴的步伐走進穹蒼的病房。

他開關門的聲音極其響亮，把自己的怒火發洩在無辜的門板上。進門後朝上一瞥，完美表現出什麼叫眼高於頂。

「穹蒼，妳真的很過分，妳是不是在故意糟踐我的好意！」他質問了一聲，把自己的外套甩過去，砸在一側的椅子上。

穹蒼仔細品味了一下，總覺得這話隱隱有點耳熟。

現在的人怎麼老把少男心擺她面前被她糟踐？她怎麼會知道？

穹蒼安撫自己的朋友說：「請你吃飯，十八菜一湯。」

穹蒼說要等方起，特地讓廚師晚點做好再送過來。此時桌上的東西，會冒熱氣的還在冒熱氣。蓋子被掀開，才剛吃了兩口。

方起往她桌上一掃，心想這可真是豪華。

一份白粥，加十八樣配菜，以及一碗湯底清淡的番茄雞蛋湯。所謂的豪華，大概就是一份榨菜可以根據刀工和口味，分裝成十盤吧。

方起抽起嘴角，恨不得用全部的五官表達自己的鄙夷：「就這？」

賀決雲見他吃癟，喜悅全掛在眉梢上，就差跳起來拍手叫好。

這兩人不知道從什麼時候開始，投向了不同的革命，戰鬥力都是拿智商換的。

方起突然表情一收，提起自己的右手，陰陽怪氣地笑道，「還好我在來的路上，帶了豪華鰻魚飯。」

賀決雲一個激靈，瞪大眼睛，看著方起恢復如常的神色，終於知道自己一直以來錯在哪裡了。

他怎麼能奢求穹蒼請他吃飯？從根本上就是不正確的想法。像方起這樣，探個病還幫自己帶晚飯，才是對穹蒼的深入了解。

賀決雲若有所思地點了點頭。

受教了。

穹蒼看著賀決雲變化無常的表情，深感自己風評被害。

什麼玩意兒？方起會自己帶晚餐，恐怕是被氣瘋了，在路上看見好吃的就買了過來，跟她有什麼關係？

方起把桌上整理了一下，把幾個小碟子裡的榨菜全部混成一塊，推到穹蒼面前，然後鄭重放下自己打包的便當盒。

於是，方起吃著他單調的豪華鰻魚飯，賀決雲吃著他平平無奇的龍蝦海鮮麵，穹蒼就著十八道御用小菜，吃完了這頓晚飯。

對比起同伴的樸素，穹蒼忍不住要流下幸福的淚水。

天色黑得很快，不過十幾分鐘的時候，外面陰沉的天幕已經垂至黑暗。

穹蒼喝著剩下的粥，漸漸適應了這寡淡的味道，她舉著筷子懸在碗上，說道：「田兆華死亡的案子，我還是覺得有點不對勁。」

方起聽著她的聲音，琢磨了下，評價道：「簡直就像是有五百隻鴨子。」

穹蒼：「……」

高興的時候叫人家小甜甜，被糟踐了以後，就叫人家五百隻鴨子。這就是方起之怒嗎？

不過方起生氣的時候，雖然不像五百隻鴨子，卻像五百隻啄木鳥。跟機關槍似地掃得人面目全非。以穹蒼現在的身體狀況，的確治不了他。

穹蒼面無表情地扯過一旁的紙巾，慢條斯理地把嘴巴擦乾淨，當作沒聽見。

吃完晚飯，方起得心情好了一點。他從口袋裡摸出一把東西，說：「我也不是沒帶慰問品，這些就送給妳吧。」

賀決雲只瞥了一眼就說：「她最好不要吃糖，喉嚨會很乾。而且為什麼你買的糖果都是散裝的？你是不是已經吃過了？」

他快一步伸手接過，看見那熟悉的包裝，想起上次被穹蒼偷吃掉的證物：「柳丁口味的……我知道。」

方起身體往後一靠，用他豪華套餐裡送的牙籤，剔著自己潔白的牙齒：「我在別人的辦公室裡抓的。嫌棄的話就別吃啊，飯後甜點還講究那麼多。」

「這種糖很有名嗎？」賀決雲撕開一顆，狐疑道：「我怎麼覺得已經見過很多次了？」

穹蒼放下碗：「你從哪裡拿來的？」

方起覷她一眼：「老師的辦公室啊。」

穹蒼：「你真的去學校了？」

方起放下牙籤，喝了口水，道：「反正離學校近，我就去了一趟。他挺擔心妳的，妳真的不去見見他嗎？唉，妳跟賀決雲在一起，都能待那麼舒服，為什麼就是不想見老師？」

「呵。」賀決雲冷笑了聲，大概是為了表示自己的驕傲和不屑一顧。畢竟他的背後代表了所有人都會喜歡的鈔票，那他當然也是受人喜歡的。

賀決雲不想再理會方起，朝著穹蒼一抬下巴，問道：「妳剛才說，田兆華的案子有哪裡不對勁？」

穹蒼整理了下思路，說道：「許多女性，即便遭到性侵，也不會選擇報警，因為社會大環境太差，她們很可能受到二次傷害。通常會報案說自己被人強姦的，都有強烈的訴求。要麼是希望犯人可以受到足夠的制裁，要麼是希望自己可以得到足夠的補償。亦或者是身邊人的堅持，或自己特殊的目的。」

賀決雲也覺得梅詩詠的行為不太對勁，皺起眉頭，表情變得嚴肅：「如果要做羊膜穿刺，通常得在懷孕中期之後。也就是說，梅詩詠被田兆華性侵，懷孕後安靜養胎到四個月，等檢驗出胎兒的DNA，才去找警方報警。警方把田兆華帶走調查，兩天後因證據不足將其釋放，之後再也沒有進展。在此期間，梅詩詠一直保持安靜。既沒有鬧事也沒有宣揚。好像一點都不在乎，社會是不是會給她公正。即便她握有有力的證據，也就是她腹中的胎兒。」

方起老神在在地在旁邊插了句：「我國又不禁止墮胎，會願意生下被強姦後的孩子的情況很少見。後來梅詩詠有把那個孩子生下來嗎？月份越大，墮胎就越危險。」

穹蒼說：「再者，DNA檢驗報告都出來了，這是一項鐵證，警方為什麼還會釋放田兆華？」

「在性侵這件事情的判斷上，女性其實比男性稍占優勢，畢竟它的標準，是以女性的意願為主。」賀決雲說：「梅詩詠為什麼延遲了四個月才去報警？」

穹蒼緩緩攪著自己碗公裡的粥：「看梅詩詠的行為，我不認為這是一起強姦犯罪，甚至有點懷疑是不是梅詩詠自己報的案，因為我無法找到她這個行為的動機。」

方起發出了「哼哼」兩聲，那句哼聲最後變調成一曲即興發揮的歌。

賀決雲是怎麼看怎麼不順眼。

穹蒼上道地說：「方起今天也聽見了，他是情感分析專家，你讓他解說給你聽。」

方起脫了鞋子，橫躺到沙發上，舒服地瞇起眼睛，大爺似地說：「找我啊？我是要收費的。」

賀決雲對他不抱任何希望，只希望他能趕緊離開自己的醫院。

方起睜開眼睛，眼裡露出與周身懶散氣質渾然不同的精光。他晃著腿說道：「這件事情最奇怪的，難道不是田兆華的妻子嗎？不管梅詩詠的真相是什麼，結果只有兩個。丈夫出軌或者丈夫犯罪。沒有女人，沒有任何冷靜的女人，可以接受這樣的事實。」

賀決雲說：「那也不一定。如果是穹蒼這樣的性格，她一定可以冷靜地把對方弄死。」

穹蒼感覺被冒犯：「為什麼你認為，世界上會有第二個像我一個聰明的人？那個人還會如此愚蠢地看上一個不中用的男人。」

賀決雲：「……我說的是性格，不是智商。」

「有道理，我同意你的看法。」方起說：「一對沒有感情的夫妻，真的有可能會冷靜地把對方弄死。我是指社會性死亡。」

穹蒼克制地發了句預告：「大膽假設，小心求證。」

賀決雲看她躍躍欲試的表情，心臟突突地跳：「妳……妳還想怎麼大膽？」

穹蒼優雅地擦了下自己的嘴，學術般正經道：「結合目前現有的資訊，以我多年對人類倫理的研究，我無責任進行以下猜測。」

賀決雲不由坐得端正了一些。

穹蒼：「梅詩詠在醫院遇見田兆華後，無法自拔地愛上了他，主動對其展開激烈追求。田兆華抗拒不住誘惑，和諧地與她發生了關係，並穩定了下來。之後梅詩詠意外懷孕，想藉此上位。田夫人知道後深感失望，於是報警說田兆華強姦。即便最後強姦的事實不成立，他出軌的事實也會變得眾人皆知。還能澈底毀掉他在醫院裡的名聲。醫院裡的考核晉升，對醫師的個人作風，還是有一定考量的。」

方起與她心心相惜：「英雄所見略同。」

賀決雲被這兩個人的天馬行空驚到了：「你們是認真的？你們的意思是，報案的不是梅詩詠，而是田兆華的老婆？」

穹蒼聳肩：「我覺得如果是這樣的話，很多細節就能解釋得通。」

賀決雲心想，你們真是得意忘形，然而順著一想，又不由覺得很有道理。

賀決雲一直以為自己是見過大世面的人，對人心險惡有著深刻的認識，可最後還是比不上對面這兩位研究過人類倫理的大師。

他把自己的驚訝控制住，捕捉著腦海中片段式閃過的問題，問道：「可是，為什麼梅詩詠會去做這個親子鑑定呢？」

穹蒼飛快進入角色，眼尾一吊，包袱一甩，正宮娘娘般嘲弄道：「妳想讓我離婚？可以。不過妳要先證明妳肚子裡懷的真的是我丈夫的孩子。像妳這樣的人，我沒辦法相信。」

賀決雲：「……」倒也不必如此入戲。

賀泱雲別開視線，回憶了一遍穹蒼正常時的樣子，又問道：「可是田夫人報警，警方會受理嗎？只要他們聯絡梅詩詠，確認一遍，就無法立案吧？」

「如果是醫院報警的呢？」穹蒼思路清晰，應答如流，「田夫人是田兆華的妻子。如果她跟那位婦產科醫師說，梅詩詠是被田兆華傷害的，田兆華想用金錢買通她，既然現在孩子的DNA出來了，證據確鑿，醫護人員有責任幫病人報警，她願意大義滅親，出庭作證。」

賀泱雲一就覺得有說不出的矛盾，像個小刺一樣，一直抓撓著他的神經：「那他們兩人可以當場解釋，畢竟性侵比出軌嚴重多了。但田兆華還是在警局被關了兩天，像是因為證據不足才對其釋放。」

穹蒼點頭，說：「可是你別忘了，田兆華還有一個女兒。」

賀泱雲愣了下。

穹蒼唇角幾不可察地勾了一下，那淺淺的弧度分明表現了她的諷刺：「現在的結果是，大多數人都默認，是梅詩詠陷害田兆華。她勾引在先，敲詐在後，見計謀沒得逞就狗急跳牆想跟他同歸於盡。包括田芮也是這麼認為。在這些人裡面，梅詩詠的名聲才是最臭的一個，沒有人替她說過話。」

賀泱雲發現自己總是忽略掉梅詩詠這個人，大概是她在事件裡的表現實在是太低調了。

「那麼……」問題又回到了原點，「田兆華為什麼要開車去撞柳忱？」

「這個可不一定。」方起架著腿在半空中輕晃，「田兆華是一位知名外科醫師，手指靈敏是最重要的優勢，同時為了支持長時間的手術，還要保證足夠的體力。所以一般外科醫師都會比較注重身體的保養。他會突然開始無所顧忌地抽菸，就說明他的情緒很不平靜。」

「夜裡休息不好精神疲憊，壓力過大，注意力無法集中，最引以為傲的外科技術也因為這些事的影響出現了意外，導致被人敲詐。在各種難以喘息的壓迫下，內心突然被某個邪惡的念頭壓倒，採取了極端的手段，也是很正常的事。」

他說出來的話明明很正常，可是配上他的語氣，總有種莫名討打的感覺。

穹蒼順著方起的話題補充道：「按照醫護人員的證詞，柳忱不應該知道田兆華出軌的事，他是從哪裡得知的？他私下又對田兆華進行了什麼樣的騷擾？會不會在他跟蹤田兆華回家的過程中，見到了田夫人，而後與那個同樣希望田兆華身敗名裂的女人達成了合作？」

賀決雲這次沒有出聲，身體往後一靠，臉上是思忖的神色。

穹蒼說到興處，自己也肯定起來：「就算田兆華憎恨自己妻子的無情，但出軌的愧疚仍舊殘留在他心裡，加上他們之間還有一個女兒。對比起責備自己的愛人，他或許會遷怒於柳忱的無理取鬧。」

這倒推起來，好像還真是無懈可擊？動機跟邏輯都滿足了，甚至連事件過程都還原了出來。

賀決雲很沒有立場地被說服了。

方起不禁得意：「平平無奇的小天才。」

賀決雲斜睨道：「少得意了。」

方起怒道：「你——！」

「其實想求證——」

穹蒼加重聲音，想將二人的話音壓下，說了一句之後，發現聲帶拉扯過於用力引起不適，又放棄了。

對面的兩人已經順勢看過來。畢竟比起對方，穹蒼的臉明顯要賞心悅目得多。

「想要求證其實很簡單。之前來找我們調查的人是田芮，我想她並不知道當年那些事的真相，她也是瞞著她的母親做出這個決定。」穹蒼乾咳了下，「如果推測沒錯，田夫人本人肯定不希望我們繼續調查。你們兩個明天可以去找她，試探一下她的態度。」

方起關注的重點總是精確到位：「們？」

穹蒼指了指自己的喉嚨，說：「五百隻鴨子，去別人家裡探訪，你覺得合適嗎？」

賀決雲和方起的視線在空中相觸，維持了一秒後，皆立刻轉開。

賀決雲堅決道：「成年人辦事又不是小女生上廁所，用得著人陪我？還是妳在懷疑我的能力？」

方起發笑：「你這麼說，就沒有自知之明了。你放心，畢竟我和穹蒼交情一場，她都這麼請求了，我也不是不能答應。」

穹蒼默默補充了一句：「方起不是你們三天的人，如果雙方發生了衝突，你可以把他拉出去推卸責任。而且他脾氣不好，又深諳倫理八卦，讓他去跟田夫人交涉，很容易試探出東西。」

這話說完，對面兩人的表情都僵住了。穹蒼淡定地端起桌上的番茄湯，優雅地抿了一口。

方起猛地站起來湊到穹蒼面前，彷彿下一秒就要去揪她的衣領，大罵道：「穹蒼，妳是不是太過分了！妳還想把工具人貫徹到底啊？妳到底有沒有一點良心？」

穹蒼一臉「你怎麼現在才發現」的表情：「你不是一直在問這個問題嗎？怎麼還沒找到答案？」

賀決雲在一旁揚眉吐氣地大笑，看方起也覺得順眼起來。

方起拿過桌上的衣服，掛在手臂上，賭氣道：「我走了！」

賀決雲在後頭叫道：「自己的東西自己帶走！來探病就留一桌垃圾，你說得過去嗎？」

方起用力把門踹上：「我今天見了個沒良心的東西！把垃圾留給她反省一下，誰都別來煩我！」

方起走得轟轟烈烈，可是沒多久，穹蒼的手機就響了起來。

穹蒼一邊感嘆著男人微薄的尊嚴，一邊安慰他受傷的自尊心，確保方工具人明日能正常上崗。

第二天是假日，田夫人沒有排班，田芮也在家休息。早上八點，賀決雲還是跟方起一起站在田芮的家門口。

兩人的表情有點臭，但在別開視線之後，迅速恢復了友好，看起來像是一對關係不錯的搭檔。

賀決雲將胸口處的設備擺正，按下門鈴。

沒過多久，田芮踩著脫鞋，一路小跑著過來開門。

這位尚帶稚氣的女生還不懂得掩飾，剛一打照面，就迅速暴露了自己的情緒。她先是瞳孔一震，接著欲言又止，而後快速看了客廳一眼，確認沒人出來，才稍微鬆了口氣。

田芮下意識把大門闔上一點，只從縫隙裡探出一顆頭，小聲道：「你怎麼過來了？你怎麼找到我家的？這個人又是誰？」

穹蒼略帶慵懶的聲音從耳麥裡傳出：『她的表情變化告訴我，她很震驚，還有點慌張。恭喜你，劇情探索度漲了一大截。』

賀決雲不動聲色地笑了下，說：「未免也太小看三夭的情報網了？既然妳知道警方一直在高度關注這個案子，那麼就該做好妳的身分會被調查得一清二楚的準備，畢竟妳是主動入局。」

田芮嘴唇翕動，片刻游移後，說：「那你們也不該直接來我家啊，好歹先打個電話給我……等等，我們出去說。」

她把門虛掩在身後，想要出來，結果還是被屋裡的人發現了的動靜。

田夫人急促地跑到門口，高聲問道：「芮芮，是誰啊？」

田芮緊張答道：「一個同學！」

賀決雲瞥向室內，回了一句：「妳好，我是三夭的工作人員。想找你們求證一下相關資訊。」

田芮身上的肌肉瞬間緊繃起來，她用力瞪了賀決雲一眼，氣到說不出話。然而已經無用，田夫人快速走近，拉開了門板。

這位中年女性的年齡應該已經接近五十歲，但保養得十分得當，所以很顯年輕。她臉上化著淡妝，穿了一件修身的連衣裙。

說實話，賀決雲看見她的時候嚇了一跳，但那種眼神只是一閃而過，很快恢復了彬彬有禮的態度。

「妳好。」賀決雲笑道：「三天最近想做一個專案，需要妳配合調查。」

「你是誰？」田夫人不吃他這一套，側立的身體帶著明確的抗拒，「我們不接受任何調查，請馬上離開！」

『咦？』耳麥裡的人驚訝了一聲，『她的性格跟人物側寫不太一樣。』

幾人分析中的田夫人，應該是個冷靜自持、手段辛辣、行事滴水不漏的人。而第一眼，田夫人就給了他們不一樣的感覺。

穹蒼說：『方起，你去試試。』

方起對穹蒼的吩咐暗罵了一聲，表面上卻笑著開口道：「美麗的女士，妳的項鍊挺好看的。」

田夫人不客氣道：「關你什麼事！」

方起還是嬉皮笑臉：「今天不用上班吧？穿得這麼整齊，是有什麼約會嗎？」

田夫人怒罵道：「神經病！」

她的耐心告罄，在田芮背後拉了一把，粗暴地把她扯進屋中，然後就要用力關上大門。賀決雲快一步伸手撐住，讓她無法迴避。

他高大身影投射出的陰影，照在田夫人的身上，中年婦人抬頭掃了他一眼，繼而更加用力地想要關門，還罵了兩聲。

「別這麼暴躁嘛。」方起露著自己的白牙，像是完全不生氣，「三天在社會上的口碑一直都不錯，我們都還沒說要調查什麼，妳為什麼一看見我們就這麼氣急敗壞？」

田夫人叫道：「你們走不走？再不走我就報警了！莫名其妙來別人家裡說一些騷擾的話，還想要我給你好臉色？滾！」

他們兩人在這裡挨罵，穹蒼那邊卻很悠閒。耳麥裡傳來一陣清脆的咀嚼聲，她大概是在吃蘋果。

方起咬牙「嘖」了聲，穹蒼也察覺到自己這樣太不夠意思，收斂了下，含糊不清地說道：『一個人的面相，在很多時候能反映出他的性格。因為他時常擺出什麼樣的表情，臉上的皺紋跟肌肉的走向就會呈現相應的趨勢。』

穹蒼把嘴裡的東西咽下。

『從田芮畏懼的反應，以及她聽到三天之後的負面表現，可以看出這位女士性格衝動，脾氣暴躁，強勢獨斷，並不溫柔，且不善於掩飾自己的情緒。如果她是一個能從容自若地計畫一切，利用身邊所有資源來達成自己的目的，其中甚至包括自己的女兒，且完全不被任何人發現的厲害角色，應該要更鎮定、更圓滑、更周全一點。得罪和警方有密切交流的大公司，並不是一件好事。』

方起正在跟田夫人拉扯，就聽穹蒼的碎碎念終於到了結局，並再次下了囑咐。

『方起，再激怒她一下。』

方起被罵得久了，笑容都變得變態：「這位女士，妳應該清楚三天為什麼會關注起田兆華的案子吧？梅詩詠是范淮案件的證人之一，照目前的發展來看，她很有可能是受人脅迫做了偽證，最後又被殺人滅口。而她生命中最重要的男人就是田兆華。我們會合理復原這一段劇情。」

田夫人尖利道：「你們沒有資格！你們這是在侵犯他人隱私！」

田芮小心拉扯她的衣袖，不安道：「媽……」

田夫人把手甩開，不耐煩地喝斥她一句：「大人說話，小孩子插什麼嘴？妳給我進去！」

方起別有深意地笑道：「就是妳女兒請三天幫忙調查他父親的死亡真相。」

田夫人整個人僵住，有一秒像是澈底凝固了一般。

田芮縮起脖子，迴避母親的方向，恰好錯過了這一幕。

「我們利用各種管道的資訊，推導了一遍案情經過，妳母親……」方起朝著田芮挑了挑眉，做了個心照不宣的表情。

田芮茫然道：「你想說什麼？」

方起笑道：「雖然梅詩詠跟田兆華都死了，但資訊和線索未必會消失。三天一向主張真相還原，一旦開始插入副本，就會追根究底。許多事情，法律不能給予公正，但是公道自在人心。」

田芮：「不是，你們在說什麼啊！你們是什麼意思？」

方起看向她：「我們在說，妳父親的死是交通意外，但未必是單純的意外。」

田夫人單腳上前，用力推了就近的賀決雲一把。這位美麗的女士臉上滿是慍怒，原先優雅的氣質已不復存在。

「瘋言瘋語，我不知道你在說什麼。在我女兒面前無事生非，我告訴你，我一定要告你們誹謗！還有，馬上停止你們的調查，你們根本沒資格！還三天？一群社會騙子，滾！」

她推攘著田芮道：「妳給我進去！」

大門在二人面前關上，連帶著腳下的地面都發出了震顫。

穹蒼按著耳麥道：『可以了，先回來吧。』

兩人第一時間轉身離去，上了各自的車，一前一後離開。

賀決雲跟方起帶著錄影資料重新趕往醫院。

在田芮家門口的時候，兩人還維持得很好，貫徹了服務業要求的僵硬式微笑。可是在開了一路的車後，那點鬱氣隨著顛簸的路面越顛越沉，最後蓄了滿腔，準備回去找穹蒼算帳。

方起覺得自己為穹蒼做了很大的犧牲，挨了那麼久的罵都沒罵回去，做白工還沒收錢，不符合他做人的原則。

賀決雲的想法很現實。他是誰？他是一個長年想不開，主動降到基層做專案的超級富二代。明明可以用錢讓人跪著喊爸爸，現在卻要硬著頭皮送上門挨罵，他圖什麼？還不就是……圖人一點美色？難不成還真圖她機靈的小腦袋？

於是兩人走進病房的時候，臉色都不是很好看，頗像收高利貸的債主。

穹蒼：「就……挺小氣的，不過是跑腿而已。」

方起熟練地把衣服一甩，插腰在她面前亂晃，說：「我白忙了那麼久，妳可別告訴我最後還是沒找到證據。那我一定要跟妳按秒計費，絕不客氣！」

穹蒼對他做了個安撫的手勢。

「她現在已經知道三天的調查進度了，以三天在社會上的影響力，如果我們的猜測是真的，她肯定會感到害怕。就看她會做出什麼樣的反應。」

方起好笑道：「她需要做什麼？我們現在又沒證據。依靠無端揣測做出的副本劇情，審核根本不可能會通過。三天只能燒自己的經費，什麼都做不了，她怕什麼？」

他摸著自己的下巴呲了一聲，像是發現什麼，問道：「我總覺得，你們兩個好像在釣魚執法，等她犯錯。你們是不是有什麼線索沒告訴我？」

賀決雲模糊道：「保密資訊，刑事案件。」

方起在不該知道的事情上一向很乖：「那我不感興趣。」

穹蒼：「如果這時候找人跟著她，監聽她的電話或監視社交軟體，說不定會有意外收穫。」

賀決雲淡淡道：「這樣犯法。」

穹蒼遺憾：「我就隨便暢想一下。」

賀決雲一手點在她的額頭上：「妳在瞎想什麼危險的事情！」

他收手的時候才想起腦袋是穹蒼的禁區，手停在半空中緊張了下，生怕穹蒼下一秒就要站起來跟他拚命。

結果穹蒼只是偏了下頭，繼續吃著面前的水果，並沒有要生氣的樣子。

賀決雲腦子裡的弦繃了下，心頭冒出了詭異的想法。

……原來這就是跑腿的力量。

呸！他腦子壞了？

穹蒼抬頭，不解地看著他：「你為什麼要露出這種眼神？」

賀決雲乾咳一聲，轉過身去：「沒什麼。」

穹蒼說：「告訴何隊長，讓她看看，要不要派人去跟一下。我覺得這個田夫人身上，或許有點問題。」

賀決雲應了聲，坐到她對面，拿出手機開始傳訊息。

三天大樓一樓，戴著墨鏡的女士風風火火地走來。她腳上的細高跟鞋在大廳的石板上發出節奏分明又清脆的迴響，直接走到前檯，重重地把包包放到桌上。

半公尺遠的位置，兩個扛著攝影機的男人緊緊跟在她身後，調整好方向，把鏡頭對準前檯的接待人員。

正在值班的兩位女生立刻放下手邊的工作，擺出微笑嚴陣以待。

「我要投訴你們的工作人員！」田夫人摘下墨鏡後拍在桌上。她手上的戒指因她翹起的手指在桌面磕了一下，發出一聲悶響。

「很抱歉給您帶來困擾。」前檯人員微笑著問道：「請問您是要投訴哪個部門？」

「負責《凶案解析》的那個部門。」田夫人因為生氣，脖子上的皮膚有些泛紅，她高抬著下巴，說道：「我丈夫已經去世十幾年了，我女兒才剛滿二十歲。今天你們公司有兩個工作人員直接來到我家裡，說要做一個特殊副本，要求我們進行配合。怎麼？你們公司不講求隱私權的嗎？他們憑什麼調查我的隱私？我允許了嗎？這就是你們大公司的作風？」

前臺被她咄咄逼人的語氣弄得發怵，面上還是笑道：「這個部門比較特殊，管理規則一向很嚴格，通常員工在行動前都會先拿到許可跟批示。請問，去找您的是哪兩位？」

田夫人在手提包的夾層裡抽出一張照片，拍到桌上。

她朝她點頭示意後，把照片拿起來查看。

照片是從監視器截取的，因為角度的原因，只從上方拍到了兩人一半的臉。但已經足以讓她看清裡面的人。她旁邊的同伴在認出主角後，眼睛都瞪大了。

「您……」她艱難道：「您真的要投訴他嗎？」

田夫人危險道：「怎麼？不可以嗎？」

「不是不是。」女孩搖頭道：「就是……程序上可能有點困難。要找我們董事長才能處理。」

田夫人當即怒道：「妳少唬弄我！是什麼破事，還需要搬出你們董事長？三天的董事長了不起啊？」

女孩心想，他們董事長確實挺了不起的。

前檯的兩位員工依舊掛著自己標準式的笑容，說道：「既然您有監視器畫面的話，是不是還留有證據？請您提供給我們，方便我們進行確認。可以嗎？」

田夫人表情陰沉，把一個USB丟過去。

「身為死者家屬，我要求你們立刻停止調查！我丈夫已經去世十幾年了，我希望你們不要再去消費他！」

女孩深吸了一口氣，說道：「請您放心，我們可以代為轉達。」

田夫人一手按到桌上，對她們的態度大為不滿：「你們是不是想推卸責任？」

女孩茫然抬起頭：「女士，我們這邊已經受理了。相關的投訴已經傳送到負責人的電子信箱裡。但是我們需要進一步確認情況，才能給出處理結果。在這件事情上，我是沒有許可權的。」

田夫人大聲命令：「這件事情清清楚楚，你們還需要確認什麼？確認我是不是我丈夫的妻子？身為家屬我不同意！你們必須撤掉這個副本！」

她的氣勢越來越強，絲毫不給對方躲避的機會：「這種嘩眾取寵的事，你們到底做夠了沒？你們有想過受害者家屬看見親人出現在一個遊戲裡，被人消費的感覺嗎？不管多少年過去，你們還要再讓人回憶一遍當時的痛苦？你們三天為了搞噱頭，連良知都不要了嗎？」

女孩看著她身後黑漆漆的攝影機，嘴唇哆嗦了下，才道：「《凶案解析》中有參考原型製作的副本，通常只選擇對外通報過的刑事案件，且徵得刑事局的同意，符合國家規定。在製作過程當中，也會遵從事實真相……」

田夫人的嗓子一下子拔高，連聲音都變了：「事實？事實就是你們可以枉顧他人的心情和意願？」

前檯的女孩忙道：「您聽我解釋……」

賀泱雲正在跟穹蒼商量著，該怎麼用藝術性的修飾，委婉催促何川舟趕快把檔案調過來，宋紓那小子卻突然打了通電話過來。

『老大！』宋紓在對面高興地喊道：『你被人投訴了。我剛剛收到你的投訴郵件，哎呀，你說要怎麼辦啊？我要不要扣你薪水呢？』

那小人得志的模樣，單單透過電話就傳遞得活靈活現。

「你自己看著辦。仔細權衡。」賀泱雲瞇著眼睛問：「誰要投訴我？」

宋紓的尾巴都要翹上天，還強行端著道：『一位女士，說你今天早上去她家裡採訪調查。無視受害者家屬的意願，對她造成了身心傷害。她還帶了媒體，說如果三天不處理，不刪除副本劇情，她就會採取法律手段。』

宋紓說完，語氣激動起來，不住興奮道：『老大，你今天早上去做什麼？我還以為你這兩天假藉那個女孩生病的事消極怠工，假公濟私，促進感情。沒想到你居然是在工作！我真的是——太欣慰了！跟著你果然是對的。』

老闆想要上進，他是舉雙手支持的，最好能把他的工作一起做了，他只要在後方處理客訴，日子可就太美了。

賀泱雲沒心情聽他胡侃，在他正喋喋不休地要發表自己的長篇感慨時，無情掛斷了電話。

穹蒼見他表情詭異，本著同伴的情誼關心一句：「怎麼了？」

賀泱雲簡單說了一遍，切換到社交軟體上查看網路上的風評。

果然，有人直接把大廳裡的畫面拍了下來，傳到網路上。雖然只有後半段，畫面也不是很清晰，但背景聲十分宏亮。

結果可能要讓田夫人失望了，事情的後續走向跟她預測的完全不同。在她開始朝前檯發難的時候，旁邊的玩家跟路人就忍不住站出來制止，替接待人員說話。

處理投訴這種事情，本來就不是他們前檯能做的，三夭那麼大的公司，也不可能只聽一個用戶的投訴就開除寶貴的員工，專案是否成立，更是要經過多道程序的考核，為什麼要為難一個前檯的接待人員？

眾人讓她不如把監視器畫面拿出來，讓大家一起分析一下，究竟是不是三夭的工作人員態度不佳，侵犯客戶隱私。

多方人員吵鬧起來，現場變得混亂，保全及時趕到，擔心出事，把田夫人請進了裡面的會議室，影片也到此結束。

三夭的口碑向來很好，加上《凶案解析》自問世起，一直按照嚴格的規定執行。人物建模、地名、人名和公司全都進行了模糊處理，發布的案件和對人物的塑造基本上也不帶偏見。

它歷來的良好信譽，在這時候發揮了作用，網路上的風向幾乎一面倒，網友都保持了冷靜。

『不會吧！沒想到這個年代，竟然還有人以為可以用種方法理由逼迫三夭？在妳之前有好幾位失敗的前輩呢，何必浪費那點錢？不如心平氣和地跟三夭談一談。』

『要是三夭真有這個心，我也不用這麼勞心勞力了。』

『說實話，在絕對的技術面前，要什麼噱頭？』

『這位女士可能不太了解這個部門吧，他們就是喜歡把雞毛蒜皮的細節都查清楚，以免出現錯誤，但未必會放出來。』

『如果這位女士的丈夫，真的只是因為單純的意外去世的，還已經死了十幾年，那可能只是完善劇情的一個NPC而已，會以一句話的形式作為證據，在對話中出現，根本不會有人認出他是誰。不用那麼緊張。』

第十一章　意外的插曲

穹蒼隨意看了一遍網路上的資訊，不知道該作何評價，只是覺得有些好笑。

「但凡能聯絡得到對方要個指示，她也不至於使出這麼蠢的招數。」

賀決雲也覺得如此。

還不知道副本製作的進度，就匆匆跑過來叫停。這種焦躁急切的態度，恰好暴露了她內心真實的想法。

她害怕三天深究，她害怕有人知道當年的真相。

賀決雲沉聲道：「兩個人會不會已經斷聯很久了？就像丁希華那位神祕的心靈導師一樣，在達成自己的目的，或者有了新的目標後，就慢慢和她疏離，並且消失。」

「嗯……」穹蒼含糊道：「誰知道呢？」

賀決雲默默整理著線索，無奈地發現，就目前的資料來看，他們有的只是猜測，且是跳躍性比較大的猜測，根本不好意思放出去跟人講。

這時，他握著的手機又響了起來。

賀決雲手腕一轉，看清螢幕，發現是何川舟回撥過來了，直接開了擴音。

何川舟第一句話就是：『你怎麼搞出麻煩了？服務業要小心投訴。』

賀決雲心想，這鍋確定由他背了嗎？你們這群人是不是太冷酷了一點？

何川舟又快速轉了話題，帶著一貫的冰冷聲調說：『檔案的部分，我們這邊還在交涉，但是我找到了當年負責田兆華性侵案的員警，你們可以先見見他。』

隨即說了一個電話號碼。

『他最近出差了，人不在A市，你們直接用視訊聯絡吧。』何川舟低沉笑了聲，說：『還挺有意思的，穹蒼當初的感覺果然沒錯。』

賀決雲：就只誇獎穹蒼嗎？

穹蒼坐直身體，湊過去謙虛地說了句：「哪裡哪裡。」

何川舟親和得不像是正常狀態：『有下一步進展的話再通知你們，你們也小心一點。』

穹蒼：「辛苦了。」

兩人客客氣氣地掛斷電話，賀決雲捏著手機，心裡還有點回味。

穹蒼又把號碼說了一遍，作為提醒。

賀決雲低頭按動數字，聲明道：「我記得住，謝謝妳。」

穹蒼不要臉道：「不客氣。」

賀決雲瞥她一眼，把桌上的電腦轉過來，直接連接螢幕。

對面很快接通，電腦上亮著一個人像。

對面的男人穿著一件白色的襯衫，袖口捲到手肘處，坐在一張桌子後面，朝螢幕點了點頭：『你們好。』

這一幕很有打報告時的風格了。

穹蒼笑了下，道：「你好。」

『你們是想問田兆華的性侵案，對吧？』員警兩手交握擺在桌面上，一臉嚴肅地像在念稿，『其實當時負責這案子的隊員，都對這案子很有印象，因為涉案的幾個人都表現得有點奇怪。案件發展到最後，並不算有個明確的結果，田兆華先行遇難了。對於沒有偵破的案件，我們印象總是特別深刻。』

「哦？」穹蒼疑惑地問了句，「是哪裡奇怪？」

『我第一次上三天那麼大的平臺。』員警叔叔伸手扶了下額頭，露出一點靦腆，『實不相瞞，我以前沒做過宣傳相關的工作，因為我不太習慣鏡頭。』

賀決雲笑道：「放心，整理完臺詞後，我們會先跟你們核對一遍。什麼無心之言，我們不會放進去。」

員警叔叔吐出一口氣：『那太好了。』他的神態放鬆了一點，拉近與桌面的距離，說，『其實，當時這起案件，並不是梅詩詠本人報的警。』

幾人的猜測得到了證實。

員警繼續道：『我們先去詢問了梅詩詠，當時韓笑，也就是田兆華的妻子，一直陪在她身邊。兩人雖然不怎麼對話，但看關係應該是挺熟的。也是韓笑勸人幫忙報警。這種關係就讓我們覺得挺驚訝的。梅詩詠見到我們之後，沒有反駁這個指控，因為有親子鑑定報告在，我們隨即傳喚了田兆華到警局配合調查。這麼嚴重的指控，對吧？結果兩個人都不是非常配合，甚至不想解釋。』

說起案件，員警的語言組織明顯流暢了很多。

『在審理過程中，梅詩詠全程表現冷漠，神情麻木，無動於衷。給出的證詞有相悖的存在，完全不像是一個性侵受害者。她沒有遭遇傷害後的應激反應，在提起田兆華時，也沒有表現出憎惡的情緒。這就不符合性侵受害者的身分。隨後，經過我們的走訪調查，我們發現她跟田兆華之間，有著類似愛慕感激的關係存在，起碼表面上是這樣。於是我們又有了另一個猜測。只不過，韓笑在裡面究竟扮演著什麼樣的角色，這個我們想不通。』

田夫人身上確實有許多矛盾點。

『所以我們根據梅詩詠的懷孕時間往前倒推，調查了市內飯店的開房記錄，成功找到了一家符合時間條件的飯店。當天晚上，登記入住的人就是田兆華跟梅詩詠。』

螢幕中的人說到這裡吸了口氣，穹蒼覺得他在醞釀大招。

『由於時間太長，飯店門口的監視器紀錄已經被覆蓋了，但當時前檯值班的工作人員對兩人還有印象。因為兩人在抵達飯店的時候，其中一人幾乎沒有意識，是被架進來的。狀態跟喝醉不太一樣，值班的前檯還以為他已經死了，被嚇了一跳。』

他說著頓了一下，穹蒼腦海中突然閃過一道紫色的電光，問道：「田兆華？」

員警點頭：『對，昏迷的人是田兆華。』

三人俱是：！

員警沉穩道：『按照酒店前檯人員的口供，以田兆華的身體狀況，根本沒有能力實施強姦犯罪，或者說，沒有任何的性行為能力。可是除了這次，一年之內，沒有其他的開房記錄。這是兩人唯一一次共同出現。』

員警保持著原先的語速，連眉毛的弧度都沒有發生變化，『我們又調查了當天兩人的消費記錄，發現那天晚上，他們在一家餐廳吃了頓宵夜，然後叫車去飯店。在餐廳裡，田兆華點了兩瓶啤酒。只有兩瓶啤酒，根本不足以讓人陷入深度昏迷。因此我們有理由認為，是梅詩詠有計劃地迷暈了田兆華，並且竊取了他的精子。』

三人的雙眼已經不能再睜得更大。於此相比，員警的從容讓他顯得格外高人。但穹蒼相信，他們曾經也跟自己一樣沒有見識。

天真的青年賀決雲靈魂發問：『不是！為什麼啊？』

員警一副過來人的語氣道：「因為愛情。」

眾人被這突然的感慨嚇到了。

員警不愧是真正見慣了世面的人，對三人的表現早已習以為常，毫不影響自己的節奏：『以下，是我們根據三個人的口供推斷出來的。田兆華跟韓笑的感情並不好，兩人是在父母的介紹下相親認識的。韓笑從來不去醫院探班，而田兆華的工作又很忙。梅詩詠愛慕田兆華，她認為兩個沒有感情基礎的人應該離婚，但田兆華是一個很保守的人，即便是因為女兒，他也希望可以維持住他的家庭。這讓梅詩詠很失望。』

賀決雲的腦海中，不停迴響著一道語音：像做夢一樣。

『梅詩詠經常找理由去探望田兆華，但田兆華對她的表現並不熱烈，只拿她當普通的妹妹看待。田兆華性格溫和，長得又帥，很有成年人的魅力。梅詩詠不僅沒有因為他的推拒而放棄，反而因為他的品行變得更加沉迷。最後腦子一熱，就想田兆華不是喜歡孩子嗎？那我也替他懷一個。』

三人表情艱澀，帶著無法言喻的滄桑。

員警越說越起勁，臉上還多了一分神采，右手在半空中小幅揮動，做著手勢：『梅詩詠的計畫很荒謬，但真的讓她成功了。她在懷孕之後先去找韓笑，跟韓笑說她和田兆華出軌了，兩人之間是真愛，希望她可以跟田兆華離婚，為她肚子裡的孩子讓出位子。韓笑就讓她等四個月，等拿到羊膜穿刺的鑑定報告後再做決定。在此期間，韓笑跟梅詩詠一直都有聯絡。』

「情敵之間還有聯絡？」穹蒼瞠目結舌道：「韓笑沒跟梅詩詠翻臉？田兆華不知道？」

員警帶著點佩服道：『因為她沉得住氣啊，她甚至沒有告訴田兆華。梅詩詠也不好意思跑到田兆華面前鬧，田兆華還是被我們請到警局之後，才知道梅詩詠懷孕了。』

三人猶如在聽天書一樣，臉上俱是對社會的迷茫。

員警看著他們笑了下，又皺起眉頭，接著講下去：『韓笑在報警之前，可能已經想好了整套計謀。梅詩詠這個人也有點單純。她被韓笑各種隱晦的觀點表述洗腦了，以為只要自己不給出決定性的證據，就不會讓田兆華定罪。她希望能藉著這個機會讓兩人順勢離婚，於是一直憋著不說，只讓我們先把人放了。後來我們也確實把人放了，沒想到田兆華居然出了車禍。梅詩詠受到很大的打擊，後來就離開了A市，我們也沒機會做進一步確認。』

眾人皆有點感慨，不知道該如何評論。

兩個女人搭了一齣大戲，無辜的田兆華成了犧牲者。

方起用力眨了下眼睛，從震驚之中回神，唏噓道：「韓笑的手段挺狠的啊。這麼沉得住氣，不像她的作風啊。」

『哪裡不像？』對面的員警趴近了一點，探究道：『其實韓笑給我的感覺是三個人裡面最奇怪的，她好像什麼都知道，卻什麼都不說，一直保持著沉默、冷靜、疏離，像一個……』

螢幕中的人一時找不到措詞，穹蒼接了句：「像一個置身事外的觀眾。」

『對！像一個看鬧劇的觀眾！』員警抬手，摸著自己的後脖頸，遲疑道：『我到現在也不是很能理解，她究竟抱持著什麼樣的態度。想得黑暗一點吧，感覺邏輯有點不合理。忽視她吧，又好像有什麼地方怪怪的。你們接觸過她了嗎？』

三人坐姿各異，斂目沉思，一時沒有馬上回答。

按照穹蒼等人的推測，他們依舊傾向於當時的韓笑是受人指點，否則她不會出現那麼大的性格差異，連事件處理能力都大幅倒退。

如果她不恨田兆華，她沒必要對田兆華進行那麼嚴重的報復。可如果她真的想挽留，還留有那麼一點情意，又不該是這樣豁達的態度。

她究竟是不是局中人？她到底愛不愛田兆華？她為田兆華設計的局面，是出於報復還是別的原因？

在聳立的矛盾中，穹蒼腦袋裡跳出最強烈的解釋是：韓笑原以為自己是整場戲的導演兼編劇，旁觀這場可笑的悲劇，然而她也不過是一個被安排好的劇情推動人。

當她失去了自己的劇本，只能恢復屬於自己的急躁與愚蠢。可當她理智中被鼓動的熱意全然退去，她又開始害怕別人發現自己的祕密，於是變得像跳梁小丑一樣橫衝直撞。

這一幕是多麼的熟悉？一個被拋棄的實驗品。

還有梅詩詠。這位「低調」的參與者終於變得關鍵起來了。

梅詩詠是范淮案的證人之一。說明她跟幕後人，或許有一定的關連。

一個普通的，平時還帶有一點靦腆的女士，很難想像得到，她會在沒有旁人慫恿的情況下，突然做出竊取精子、小三逼宮的事，甚至澈底拋棄了自己的羞恥心。

她以愛為信仰，正義化自己的鄙陋行為，其實她的愛意扭曲又自私，遵循著最不可為人言的欲望而滋生，像是從一片黑泥裡生長出來的植物。

梅詩詠，會不會是第二個用來訓練獵物的工具？

穹蒼的唇角繃成一線，用舌頭舔了舔緊閉的牙齒。抱在胸前的雙手，指尖用力在手臂上掐出了幾道紅痕，如同她胸腔裡開始沸騰的複雜情緒。

那個幕後人，明顯對各界天才更感興趣。只有從那些人身上獲得控制的快感，才能達到精神上的滿足。

梅詩詠和韓笑都只是意志力薄弱的普通女性。而田兆華，一位年紀輕輕就能在D大附屬醫院被選為副主任，手術技巧首屈一指，醫學天賦遠超常人，絕對可以說是同行中的天才。

此外，他性格平和，氣質溫柔，交口稱贊。不僅是行業翹楚，甚至可以說是當代完美男性。

田兆華才是幕後人真正的目標。

他最後死了，以半自殺的方式，結束了自己的生命。他成了對方實驗成功的一個樣本，帶著不清白的罪名沉沒在未完結的檔案之中。

穹蒼感覺有一股寒意從腳底竄上，讓她渾身發麻，陣陣噁心。隨後便是憤怒，熊熊燃燒起來，點燃她每一條神經。

她怎麼也無法認同，更無法原諒，只是因為如此低級的趣味，就去考驗所謂的人性，毀滅他人的人生。尤其是田兆華這種踏實在社會中生存，滿懷著信仰努力工作的人。

「穹蒼……穹蒼！」

穹蒼被賀決雲用力一撞，忽然驚醒，卸下手中的力。她偏過頭看著賀決雲關切的眼神，點了點頭道：「不好意思，分神了。」

方起驚道：「妳聽八……這種話題都能分神？」

穹蒼「嗯」了聲，沒什麼精神，放鬆自己的身體，朝後挪動，靠在沙發背上，說：「我猜韓笑應該有用撫養權威脅過田兆華。韓笑跟田兆華之間已經沒有多少感情，或許已經準備好要跟他離婚。她有穩定的工作，且比田兆華顧家，法院更有可能把孩子判給母親。但田兆華也是個珍惜孩子的人，在這點上，他不得不屈從韓笑。」

賀決雲盯著穹蒼看了許久，確認她沒問題，才移開視線，說道：「所以田兆華的壓力很大，而韓笑又夥同柳忱一起對他施壓，想讓他身敗名裂。韓笑和梅詩詠的接連背叛，讓他大感失望……」

方起摸著下巴道：「也許田兆華是想跟他們表示，『不要再逼我了，我已經走投無路了』。」

穹蒼低沉應了一聲，表示贊同。

員警手邊的鬧鐘響起。他快速按下停止，說道：『不好意思，我後面還有工作安排，你們還有什麼不清楚的地方嗎？』

「沒有了。」賀決雲敬了個禮，「謝謝您的幫助。」

員警跟著敬禮，笑道：「為人民服務。」

電話掛斷後，賀決雲開始整理桌上的電腦，無人說話，空氣逐漸安靜起來。

方起見穹蒼氣場陰沉，急著開溜，甩起衣服道：「我也有工作，我先走了。」

他機智地跑路，賀決雲又一次擁有了二人世界，氣氛驟然歡樂起來。

賀決雲停下手裡的動作，問道：「妳剛才在想什麼？臉都黑了。」

「我在想一件很沒有意思的事情。」穹蒼把頭靠在沙發背上，仰著頭低聲道：「田兆華被人盯上了，韓笑跟梅詩詠都不過是逼他走上歧途的手段而已……明明是那麼聰明的人，但他可能永遠都猜不到自己的悲劇是如何構成的，畢竟他沒辦法防備身邊的每一個人……原來想讓一個人走入墮落的淵藪，是一件很簡單的事情。」

賀決雲一時語塞。

穹蒼慢吞吞地下了結論：「說明社交是一件高風險的事情。根本就沒有可愛又迷人的反派角色，倒是有可能碰上變態痴戀的偷精狂魔。」

賀決雲被她一本正經的敘述噎住了，差點被自己的口水嗆到。他意味深長道：「怎麼？不想交朋友了？」

穹蒼瞥他一眼，說：「你這是兩個概念，有時候高風險的事情也值得挑戰，畢竟人類是群居動物。」

賀決雲摸摸眉毛，裝作隨意問道：「那妳是要找什麼標準的朋友啊？」

他臉上的表情幾乎都要寫出字來了，穹蒼再沒良心也很難忽視。

她不是很能明白賀決雲的心情，畢竟兩個人都同居那麼長的時間了，賀決雲居然還在糾結朋友的問題。

不過友誼的確是需要一點商業吹捧來維護的，於是穹蒼用自己的方式抬高他一句：「比你的標準低一點，我也是可以接受的。」

賀決雲已經做好被她奚落的準備，下意識要回嗆一聲，嘴巴才張到一半，突然品味到穹蒼剛才這話……似乎是在誇他？

高風險的標準，還比自己要低一點。

說明他比朋友更重要，對吧？

賀決雲把嘴閉上，心裡開始美得冒泡。他決定藉著這股喜悅的餘韻，先把自己被投訴的爛攤子處理一下。在打開電腦查看資料的時候，他才反應過來。

他為什麼要那麼高興？他是誰？

他是一位尊貴、有錢的富二代，努力奮進且長相英俊，從出生起就成為氪金大神的外掛級玩家。他的追求什麼時候成了「和穹蒼交朋友」？

……他有病？

……讓一個人步入墮落的淵藪，還真是一件很簡單的事。

穹蒼看著他風雲變幻的表情，低下頭移開視線。

善變的男人，哄都哄不好。

賀決雲心思浮躁地幫自己的投訴意見寫了個簡短的評價，又找那邊的主管了解了韓笑跟他們交涉的結果。

韓笑的要求簡單直接，可惜三天的態度禮貌堅定。她吵鬧、威脅、賣慘，各種手段都試過了，仍舊得不到自己想要的答覆，發現連網友也不站在她這邊，最終無奈放棄，現在人已經離開。

賀決雲關掉聊天畫面，說：「我們還要去找韓笑問口供嗎？我不認為她會配合我們。」

韓笑並不是直接的凶手。殺人誅心這樣的罪行，根本找不到證據。可是如果就這樣算了，賀決雲又替田兆華覺得不甘心。

穹蒼站在窗戶前面，注視著後院寬闊草地上來來往往的人群，半晌後說了句：「找田芮。她比較年輕，從她的身上，應該能問出一些關於韓笑的事。」

賀決雲懷疑道：「那個時候她還很小吧？」

穹蒼的聲音淡淡地夾在空氣裡：「小孩子其實是很敏感的，尤其是在父親剛死的時候。那段時間，她肯定會特別關注自己的母親，想要從她身上獲得自己缺失掉的那半份愛。而且她那時候已經不小了，應該會有印象。如果她有寫日記的好習慣，那就更好了。」

賀決雲摸出手機，接連打了兩通電話，對面都沒接通。

穹蒼聽著系統音忙碌又停止，說：「應該是被韓笑關起來了。」當時的韓笑明顯很生氣，不希望田芮多過問。

賀決雲說：「找機會再叫她出來。」

穹蒼悠悠地說一句：「倒也不用。」

賀決雲趕緊申明道：「再去一次她家，我的投訴真的要遞到我老……老闆的頭上了！這可不行！」

穹蒼抬手遙指了一下：「那個不就是田芮嗎？」

賀決雲走過去，把腦袋貼在窗戶前，順著方向一望。

居然還真的是田芮，正蹦蹦跳跳地朝這邊趕來。

沒過多久，那個風風火火的女生衝進了病房。

「好慘，我媽把我的手機沒收了，還想把我關在房間裡！呵，哪有那麼簡單？」

田芮跑得滿頭大汗。她把掛在身上的包包放下，迫不及待地問道：「你們早上去我家，到底在亂七八糟地說些什麼啊？」

今早，方起別有深意地說了一頓，在田芮的心上留下了刺，怎麼樣都忽視不掉。韓笑的過激反應，也讓她察覺到了異常，所以她一找到機會，就跑出來見賀決雲。

穹蒼轉過身，靜靜地看著她。賀決雲的語言系統也出現了長久的空白，不知道該如何告訴這個女生，她的家庭不正常。

田芮帶著茫然，眼神在二人之間逡巡一遍，大聲道：「你們幹嘛不說話啊！」

穹蒼拿了一瓶水給她。

田芮無意識地伸手接過，急道：「不是！你們到底什麼意思？你們到底有沒有查出我父親的死因？我爸真的是一個好人！」

賀決雲含糊道：「這個我不否認。」

「那你們快去澄清啊！我爸死得太冤枉了！」田芮激動地捏緊了手裡的水，見兩人的反應，瞇著眼睛危險問道：「當時警方為什麼不公布細節？你們是不是不敢說？」

穹蒼側過臉，無奈道：「哪來那麼多陰謀論？」

賀決雲打商量地看向穹蒼，豈料穹蒼的速度比他快一步，披上外套就說：「傷患出去放風，你們兩位慢聊。」

她用跟方起同樣的速度火速撤退，在關門前對賀決雲露出鼓勵的眼神。

賀決雲：？

這就是妳對待標準線以上摯友的方式嗎？

穹蒼穿著病服，在樓下的小花園裡走了一圈。

她只是漫無目的地閒逛，結果沒走多久，天空開始飄起了細雨。

穹蒼估算著時間，覺得這個時候，病房裡的兩人應該正進行到歇斯底里地面對現實環節，到後面的接受，還需要一段時間的醞釀，決定不去打擾他們，給他們一點發洩情緒的空間。

於是穹蒼淋著小雨，去醫院門口的便利商店買雨傘。

她撐開一把黑色印花的雨傘，用脖子和肩膀夾住傘柄，站在門口，拿毛巾有一搭沒一搭地擦著自己的頭髮。

雨水剛落時並不凶猛，只有一顆顆細碎的白色水珠停在她頭上，把她的頭髮打得軟綿。就在她進入這家便利商店後，雨勢迅速加大，帶著傾斜的角度，穿過屋簷打在她身上。

穹蒼看著路上飛奔而過的身影，低頭掃了自己的褲管一眼。棉質褲管上已經沾染了不少灰色的泥漬，看起來髒兮兮的……

「穹——蒼！」

穹蒼被那聲顫動的嘶吼嚇了一跳，抬起頭，猝不及防地對上一雙驚魂未定的眼睛。

賀決雲穿著他那身昂貴的西裝，濕淋淋地停在不遠處，見她站在那裡，抬手用力抹了把臉。他咬牙切齒，說不清是因為寒冷還是惱怒，腿部肌肉在微微顫抖。

他以為穹蒼又惹到瘋子，發生危險。只是一個不留神的功夫，小花園裡就沒了她的蹤影。

一路跑過來的時候，他的大腦裡全是黑白閃爍的畫面，不敢深想，只後悔自己剛才放穹蒼一個人出來，未能平息的心跳讓他血管膨脹。

穹蒼後知後覺地摸向自己的口袋，才發現從剛才開始，手機的震動聲被雨聲覆蓋，導致她沒聽見賀決雲的電話。

「啊……」穹蒼無辜道：「不好意思。」

賀決雲喝道：「妳幹什麼！下雨了，不知道要回去嗎！」

穹蒼愣了下，握住手裡的雨傘，說了聲：「……對不起。」

賀決雲第一次見她露出這種無措的神情，情緒逐漸冷靜下來。他朝她走近，就聽穹蒼又小聲補充了一句：「真的沒注意……沒有下次了。」

反省還是很到位的。賀決雲這才把滿腔怒火憋回去，拿她沒有辦法。他深吸了口氣，才凝重地說了句：「韓笑出車禍了。」

第十二章　掩蓋的事實

市中心，雨已經下大，不斷沖刷著路面。淡淡的血色從車廂裡流淌出來，蔓延到馬路中心，又被灰黑色的泥水掩蓋。

路邊的防護欄被撞毀了一塊，旁邊的圍牆被撞破一個大洞，卡在洞口的車頭深深凹陷，地上散布著飛出去的碎片。

何川舟親自到現場勘查。

她拿著雨傘，一動也不動地站在馬路側邊，等著交警分析取證。直到穹蒼出現，才轉過臉，朝她點了點頭。

何川舟冰冷的聲音在雨天裡變得更加清冽且沒有溫度：「人已經送往醫院了，被救出來的時候還活著，但是傷得很重。」

穹蒼身形單薄，唇色蒼白：「肇事司機呢？」

「沒有肇事司機。」何川舟嚴肅地說：「她超速闖紅燈，為了躲避對面的車輛，自己撞上去的。」

穹蒼又掃了現場一眼，問道：「她出事之前，有沒有聯絡過什麼人？」

何川舟：「沒有，只有她公司的人事打了一通電話給她。他們看見網路上的影片了，來問韓笑怎麼回事。電話還沒掛斷，人就撞上去了。」

寬大的病服罩在穹蒼的身上，讓她身上布滿病態。她聲音飄忽不定：「怎麼會這樣……」

穹蒼等人趕到醫院的時候，韓笑正在手術室裡進行搶救。

田芮頹然地坐在門口，雙腿不住地發抖，兩手焦躁地在褲子上擦拭汗漬，嘴裡還在喃喃自語。她聽著節奏不一的腳步聲靠近，抬起了頭，等看清是幾人之後，突然睜大空洞的雙眼，搖晃著朝幾人撲過去。

「為什麼！怎麼會這樣？我媽是怎麼了！」

田芮在半路上趔趄了下，跪倒在地上，無力起身。

穹蒼彎腰去扶她，她揮舞著手臂，跟抓住救命的浮木似的，狠狠握住她，也不看自己面前的人是誰。

「如果我不找你們調查就好了，誰能把我媽還給我？一定是你們弄錯了，不可能……」

田芮喘息著，伴隨著尖細的哭聲朝他們訴說，淚水決堤般向下流淌，糊住了她的臉龐。

「啊……為什麼？都是我的錯，她是不是對我太失望了才會自殺的？我怎麼可以這樣……」

低聲沙啞的嘶吼，艱澀地從她喉嚨裡擠出。

穹蒼蹲下身，任由她伏在自己的肩頭宣洩。一手按在她的背上，給予她一些沒什麼用的安慰。

至於語言，人類龐大又貧瘠的詞彙庫裡，似乎還沒有能有效寬慰悲傷的詞語，頂多只能道一句「節哀」。

哀慟幽恨的哭聲穿過狹長的走道，夾雜在沉悶的空氣裡。顫抖的聲音猶如一把粗糙的木鋸，在幾人心口來回切割，留下一地難以收拾的碎屑。

走道盡頭的小陽臺。

穹蒼跟何川舟並排立在光影之中，看著斜風細雨從面前掃過，滿天濃重的烏雲遮蔽住正午的陽光。她們站了許久，視線落在邈邈的淡山之上，誰都沒有說話。

雨水帶來的沁涼穿透外套，刺進皮膚。穹蒼動了下，把冰涼的手放進口袋裡，輕聲問道：「妳說，是真的有人能夠如此精準地控制自己的目標選擇自殺，還是韓笑只是因為壓力過大，所以出了意外。」

何川舟沉聲說：「不知道。」

「如果只是意外……」穹蒼冷冷地笑了下，無不諷刺地說：「那可真是命運的巧合。」

韓笑逼迫田兆華車禍遇害，多年後，她又間接性地因為田兆華車禍重傷。

如果這是一本小說，那她可謂完美遵循了因果報應的戲劇性呼應，完成劇情後可以安心退場了。

可是真的有那麼多巧合嗎？穹蒼的直覺仍舊告訴她不對。

「她的車輛……」

何川舟會意地接過話題：「我們會仔細檢查，看看是否有過人為破壞。也會對韓笑進行毒理檢測，確認她在出發前是否服用過不良藥物，影響她的判斷。」

穹蒼側過身，正對著何川舟。她臉部緊繃的肌肉線條，讓她原本就冷漠的氣質變得更加淩厲。她再次求證道：「她的手機上，真的只有一通電話？」

何川舟平靜道：「我們用她的指紋進行解鎖，離開三天後，她只接過一通來自公司的電話。跟電信公司確認過，沒有錯誤。」

「對方說了什麼？」穹蒼較勁道：「每一句話，每一個字。真的沒有問題嗎？」

「因為韓笑去三天大鬧，被人放到網路上，已經有了一定知名度。公司擔心受到影響，屆時損壞企業形象，給了她一些警告。」何川舟很有耐心，每個問題都詳盡地回答她，「電話有錄音，我聽過了。那位員工的語氣有些嚴肅，但並沒有說什麼奇怪的話。他說公司內部已經知道了這件事，長官讓她盡快離開三天，且不要在公開平臺發布與三天有關的內容。如果被網友找出真實身分，就要做好及時道歉的準備。韓笑沒有回應，緊接著電話裡傳來幾聲巨響，車禍發生。從電話裡兩人的語氣判斷，在出車禍前的那段時間裡，韓笑的精神狀態不是很正常。」

穹蒼低聲道：「……那之前呢？」

「之前她只傳過幾則請假的訊息。」何川舟遺憾道：「目前，我們還沒有發現可疑的地方。」

穹蒼吐出一口濁氣，感覺線索在眼前生生斷裂。

何川舟在她肩膀上拍了兩下，準備走開，剛邁出一步，穹蒼清脆的聲音再次響起。

「我認為可以去韓笑的家裡進行搜查。她的心理素質不強，說不定會留下什麼資訊。」

她不知道那個人有多大的惡意，有多高明的洗腦手段，越是將無關的人牽扯進來，越是容易留下線索。縱使他可以保證自己不犯錯，卻無法保證別人也是如此。

人心是不可能被盡數算計的。

「就以調查韓笑自殺原因為理由，請求田芮的理解與配合。」

何川舟回身看她。

這個理由不是不行。可是如今韓笑車禍，生死未卜，疑似自殺，原因跟《凶案解析》侵犯民眾隱私有關。這個專案一直是跟刑事局合作的，與之相關的公務人員難免會受到一定的輿論波及。這種時候去申請搜查令，如果田芮強烈表示反抗，上級長官可能會因為擔心社會影響，放慢調查進度。

何川舟也希望可以多體諒一下長官，畢竟長官要是被氣走了，這鍋就沒人背了。平時老先生少喝兩杯枸杞，她都會覺得心驚膽戰。

穹蒼轉動著視線，投向昏暗走道那頭的病房。手術室的燈還亮著，一群人沉默地坐在門口等候。

何川舟其實很不喜歡面對家屬的這項工作，然而這種事從來都無法迴避。她想起田芮那張模糊的臉，疲憊地說：「先等手術做完吧，我去和她交涉。我已經讓人守在韓笑家附近了，如果有可疑人物進出，我們會察覺到。」

穹蒼沉默了下，說：「我去和她說。」

何川舟驚訝，片刻後點了點頭，道：「好。」

她還有別的安排，將任務交給穹蒼後，去找自己手下的員警做安排，待會兒還要趕往下一個地點。

不遠處，賀決雲仔細盯著自己的手機螢幕，等她們二人結束交談，才慢慢地朝穹蒼走過來。

穹蒼看見他剛才拍照了，問道：「怎麼了？」

賀決雲笑了下，轉過螢幕遞給她看：「很像兩位代表在做外交會談。」

穹蒼接過掃了一眼。

狹小的窗臺，昏暗的背景，兩人面對面地交談，臉上表情皆是嚴肅，帶著一絲不苟的探究。

穹蒼：「……」還真的有點像。

賀決雲握拳，遞到她面前採訪道：「敲定什麼專案了嗎？」

穹蒼低頭看了一眼，把他手上虛無的麥克風稍稍推遠，問道：「三天不擔心自己在網路上的形象嗎？」

賀決雲聳了下肩，讓自己看起來輕鬆一點：「沒關係。交涉過程都用攝影機記錄下來了，把沒剪輯過的影片和文字版對話發出去就好。三天的客服和公關都很厲害，我相信他們不會在處理過程中，犯下能讓人拿捏的錯誤。」

韓笑剛出事的時候，網友們的確被嚇到了。

你說他們網路暴力嗎？他們真誠地反思了一下，認為自己的用詞並沒有很過分，畢竟當時還不知道詳細的情況，所以表現得一點都不激情。

可是好端端的一個人就這樣快沒了，他們多少覺得難以接受。

『為什麼自殺啊？三天到底是侵犯了什麼隱私，才把她逼到這種地步？』

『三天能不能給個詳細的說明？人都死了，要個解釋不過分吧？』

『三天的公關是不是在交涉過程中，說了什麼重話？說真的，我覺得那位女士的情緒很不冷靜，也許一句無心之言就能讓她炸毛。如果真的是這樣，根本沒辦法說清楚。』

『人沒死啊，不是還在搶救？你們怎麼直接幫她四捨五入了？倒是相信醫師啊！』

『為什麼不能是單純的意外？在情緒激動的情況下出意外的機率本來就很高。』

『《凶案解析》的爭議和討論度一向很大，在風波還沒朝著負面方向擴散前，三天直接公開了在會議室裡錄製的影片。』

三天的態度非常坦蕩，表示管理層已經對談話進行了復盤，分析後一致認為事故應該不是由這場對話引起的。希望大家可以耐心等待警方通報。

在影片中，三天工作人員只反覆重申兩件事。

「這段劇情，是我們在製作范淮系列案件的過程中，作為部分材料用來補充的。我想您應該知道，被報復殺害的五位證人裡，其中的一位女性，曾經和您的丈夫有著密切的聯繫，所以我們才會去調查您丈夫的死因。我們所做的一切，都是嚴格按照規則進行的。如果在過程當中有對您造成冒犯，我們感到很抱歉。三天可以賠償您的損失。」

「這是我們的證件，您可以檢查我們的合法性。我們可以向您保證，三天在製作副本時，會對非犯人的人物外貌、姓名等隱私問題進行處理，刪除與案件無關的全部資訊。但是為了保證劇情的準確性，我們無法答應您取消製作的要求。因為除卻您丈夫的隱私權後，還有其他正在忍受著大眾誤解的人，他們更需要一個公開的平臺，來為他們講述事實。而公眾，也有一定的知情權。」

負責安撫的工作人員態度溫和，全程彬彬有禮，哪怕是面對韓笑的無理取鬧和威逼利誘，也沒有流露出任何失態的表情。

相比起來，韓笑的狀態從最初的暴怒，到要離開時，已經冷靜了許多。如果非說她是受到三天的刺激而選擇自殺，那完全是無稽之談。

『我太心疼三天的員工了！』

『三天的工作人員，一個個都有著彌勒佛的覺悟啊，快要超脫升仙了吧。』

『懂了，投訴抗議被請去會議室，吃免費的高級餐點和飲品。』

『所以是在做范淮相關副本的時候，涉及到的某個小人物？不是都解釋清楚了嗎？這位女士需要那麼緊張嗎？』

『我感覺她有祕密（小聲.jpg）。』

『又是范淮案？從官方和三天的關注程度來看，多半是起冤案了。五個證人一起做偽證，實在是太狠了。』

穹蒼快速看了遍留言，關掉軟體說：「把留言關了吧，降一降網路上的討論度，別被田芮看見了。」

這麼多年來一直執著父親死亡的真相，希望有朝一日得以解惑，卻發現原因跟自己的母親有關。還沒來得及接受這個變故，疼愛自己的母親又遭遇車禍。如果隨便一上網，又發現網友在影射自己的母親，以田芮這個女孩的精神承受能力，恐怕接受不了。

賀決雲見穹蒼臉色蒼白，身上還穿著被打濕的病服，擔心她薄弱的免疫力經不住感冒的侵襲，問道：「妳先回去休息一下，換身衣服？」

穹蒼說：「不用了，我暫時留在這裡。」

賀決雲皺眉，摸了下她的袖口，發現她全身上下的衣服都透著一股冷氣，比田芮還要糟糕：「那我去幫妳帶幾件。」

穹蒼：「謝謝。」

賀決雲將她一推：「進去裡面待著，別在路口吹風。」

賀決雲剛跑出醫院，就接到了宋紓的電話。那大驚小怪的小子，剛開口就沒讓他失望，大聲叫道：『柳忱！』

賀決雲把手機拿遠了點，問道：「柳忱又怎麼了？」

宋紓頭痛道：『柳忱出來接受採訪了！不是有一群記者守在公司外面等聲明嗎？他直接衝進去發言了。有好幾家媒體都是直播的呢。』

賀決雲額頭上的青筋直跳：「趕快把他攔下啊！」

『我們攔了啊！』宋紓說：『他帶著媒體一起跑了啊！』

柳忱那人可不是簡單的人物。說話顛倒黑白，行事兩面做派。從去醫院鬧事的做法來看，也是個為了利益可以不擇手段的人。

之前賀決雲跟穹蒼去採訪他的時候，還差點中了他的圈套，現在一聽這人要出來興風作浪，當下想打人的心都跳了出來。

他對著宋紓嚴肅吩咐道：「你們先幫忙盯一下網路上的風向，盡可能把造謠的內容刪除。如果柳忱的發言有大量不實描述，直接報警處理。」

宋紓想著又要加班，嘆了口氣，深情呼喚道：『好吧。老大，我等你啊，你快點回來！』

賀決雲掛掉電話，走到自己的停車位前，準備馬上趕去三天總部坐鎮大局。可是在他關上車門的時候，腦海裡突然閃過一個想法，又讓他覺得不太適合。

柳忱都帶著記者跑了，他趕過去似乎也沒用。三天又沒有跨地執法的本事，他們還能堵著柳忱的嘴不成？

……英雄無用武之地。

賀決雲沒有過多思考，調出通訊錄聯繫了何川舟，把柳忱的事告訴她，讓她提前做好應對防範的措施。關鍵時刻出來發個闢謠。

何川舟那邊保持沉默，沒有答應，也沒有拒絕。揚聲器裡似有似無的電流聲，彷彿與她快要過勞的腦電波達成了同步共振，把她的腦細胞集體震碎。

要說網路上被黑得最多、最慘、最廣的團隊是哪個？毫無疑問就是警方。

出事了，是基層治安混亂；搜查了，是網友熱情敦促；破案了，是大眾群策群力。錯信了謠言，就是「曾經有過」、「確實存在」、「現實如此」、「我一個朋友真的經歷過」，諸如此類。

在輿論宣傳上，警察一向不太擅長。

如果只是闢謠，那倒是簡單，警察的公信力還是有的，可以瞬間扭轉風向。可真相是……案件中牽涉到的幾個人，都不是那麼清白。警方目前也沒有確切的證據，內裡的事情又太過波折，該如何書寫通告，也是一個大問題。

何川舟按著自己隱隱作痛的太陽穴，吐息道：『好，我們這邊會注意的，不過還是需要三天公關的協助。另外，想請你們幫忙找個可靠的心理醫師，穩定一下田芮的情況。我怕那女孩無法調適，會想不開。她現在是很重要的證人。』

賀決雲說：「妳放心，我們會有安排。」

何川舟：『嗯。』

賀決雲順利把棘手的事交付出去，鬆了口氣。他傳了一則訊息給宋紓，讓他調派人手，同時把自己後面的工作，根據輕重緩急安排好順序。最後決定還是先回自家醫院，幫穹蒼拿身乾淨的衣服。

他們的最強外援，再病一次就沒有了。

穹蒼坐在田芮的身邊，兩手抱著前胸，將頭靠在牆上閉眼休息。

此時距離韓笑進手術室已經將近兩個小時。期間有幾位醫師從別的科室趕來，相繼進入手術室後就沒了消息。但是既然仍在竭力搶救，就說明還有生還的希望。

田芮起先在門口不停打轉，用腳尖自虐式地踢著地板，後來被留守的員警按到椅子上坐著，沒堅持多久，又跑去角落蜷縮起來。

幾人口袋裡的手機時不時傳來幾聲震動，主畫面彈出些稀奇古怪的新聞，他們掃了一眼，沒心情看，置之不管。到後面就分不清究竟是誰的手機在響。

田芮也知道自己實在是太緊繃了，應該做點別的事情，轉移自己的注意力。她坐在地上，單手抱著自己的腿，摸出手機滑了一下。

鎖定畫面掛著一排新聞軟體的通知，她手指按住，輕輕往上推動。

幾個標題寫得獵奇又誇張，雖然沒有指明，卻能清楚看出它指的是什麼事情。

田芮的瞳孔顫了下，立刻從地上爬起來，捏著手機衝到穹蒼面前。

穹蒼略微偏過頭，半闔著眼，轉動眼珠掃向螢幕。

『知情人士爆料，女子阻礙三天調查動機，原因竟是這樣。』

『性侵與醫療事故？醫師碰瓷受害者卻意外身亡！十幾年後真相意外曝光！』

『丈夫出軌，女子選擇這樣做！』

『三天再揭祕！又是一起塵封十多年的冤案？良知與利益該如何博弈？』

消息中間還穿插著她同學和輔導員傳給她的訊息，幾人委婉地詢問她到底發生了什麼事，學校甚至收到了幾家媒體的採訪，醫院外早已亂成一鍋粥。

「就這個？」

田芮不用點開查看，也能想像得到裡面的內容有多不堪入目。

她本就脆弱的情緒，離崩潰的邊緣又近了一步，彷彿全世界的人都要了她，她只能屹立在無人的世界背面。而這一切全是她自己一手促成的。

她連嘲笑自己愚蠢的力氣都沒有了，蒼白的手指用力戳著螢幕，語速急促又無力道：「你們是不是也相信這個所謂知情人士的爆料，所以才認為是我媽害死了我爸？你們不是說我爸是無辜的嗎，那警方為什麼不發公告解釋？很好玩嗎？這種事情很好玩嗎！」

田芮陡然間爆發出一聲怒吼，緊跟著咆哮道：「一次又一次，我爸已經死過一次了！死不瞑目！你們還覺得不夠，要把他從地獄裡拉出來鞭屍，再加上我媽！你們以為自己什麼都不做就沒事了嗎？你們的縱容是一把刀！你們這些人全部都是凶手！」

她舉起手臂，猛地把手機朝地面砸去。

手機落地發出一聲震耳欲聾的巨響，又飛出數公尺遠。員警一個哆嗦，連忙衝上前把她按住，怕她做出什麼自殘的行為。

田芮用力掙扎，瘋狂抗拒。

「田芮，妳冷靜一點！」員警死命禁錮住她的手臂，叫道：「我們沒有不管妳！我現在就守在這裡！這裡是醫院，妳這樣吵鬧，會影響到裡面的醫師！妳媽還在裡面動手術！」

田芮的身形頓時僵住，軟綿綿地卸力，像沒有了支撐的植物一樣，身心都在朝下垂落。

穹蒼平靜地看著她，看她從歇斯底里到頹然啜泣，發出一聲似有似無的輕嘆，起身撿起那部丟掉的手機。

這部手機的品質還不錯，雖然外殼飛了，透明的蓋板也碎了，但是螢幕還能用。

穹蒼拿著手機走回去，在員警驚駭目光的注視中，不容反抗地掰下田芮的手，對著她的臉拍了一下，解開螢幕。

員警糾結道：「這……不太好吧？」

穹蒼在手機裡按動了一會兒，然後轉過方向，捏住田芮的下巴，強制她看上面的內容。

螢幕中，一張藍色背景的警方通告。

通告對各個問題客觀地解釋了一遍：『警方重新調查起多年前的案件，經走訪、勘查，和核實之後，確認關於網友熱議的，田某醫師性侵犯罪，以及醫療事故的指控，皆為造謠。根據警方搜集的人證及物證顯示，未發現田某醫師出軌的事實。經相關法律條規及醫療事故鑑定委員會評定，田某醫師未出現醫療事故。柳某在手術結束後，多次要求鉅額賠款，在遭到院方拒絕後，尾隨並騷擾、乃至毆打田某醫師，曾被處以行政罰款。車禍責任鑑定結果，雙方各自承擔一半責任。柳某違規超速，且未及時制動。田某違規變換車道，未繫安全帶。目前無明確證據可以證明，車禍是否由田某醫師主觀引導造成。望廣大市民尊重死者，切勿傳謠。』

田芮的視線來來回回在圖片上轉了幾圈，哭聲減緩，然後慢慢消去。

她吸了吸鼻子，小心地接過手機，放大圖片，查看上面的文字。

她的視線被淚水蒙得迷離，只是幾排簡單的文字，卻讓她內心的委屈再次如山洪般崩塌，淚流不止。

她抬手抹了把臉，不知道自己為什麼哭得那麼洶湧。

穹蒼的聲音雖然沙啞，卻猶如浸著水的玉石，永遠帶著一股通透的涼意。

「人類是一種不理智的生物，經常會因為自己的悲觀，浪費過多的情緒。」

田芮咬著唇，嗚咽出聲。不想繼續在她面前丟臉。

「警方為什麼不通報？一是因為，確實沒有十足的證據，裡面存在猜測的部分。二是因為……」穹蒼緩緩地說：「將案件影響控制在最小的範圍，希望不會給妳帶來過多的負面情緒。」

田芮仰起頭。

「或許賀決雲還沒來得及告訴妳，那我告訴妳。」穹蒼俯視著她，「根據路口的監視器畫面顯示，柳忱有一點的確沒有說錯，田醫師是提前在路口等候，見他出現，才衝撞上去的。這起車禍的確是場意外，意外在柳忱超速駕駛，大貨車緊急制動後失控，才導致妳父親的死亡。」

員警變得緊張，覺得她說得太過直接。

田芮愣愣地張開嘴，眼裡滿是不敢置信。

穹蒼的聲音裡帶著一絲殘忍，繼續說：「梅詩詠的事，是妳母親要求報的警。這件事警方沒有對外宣揚，醫院的人也一致選擇了保密。把這件事告訴柳忱的，還是妳的母親。她以為妳父親出軌，所以選擇了這樣的方式進行報復。」

田芮神情恍惚，嘴唇開闔，卻沒能發出聲音。

「妳以前沒機會分清好心還是惡意，現在應該要明白了。這世上陰謀最多的，從來不是員警，而是人心。」

田芮兩手按住手機貼向胸口，睜大雙眼，沒有回應。

穹蒼不再多說，點頭示意，讓員警先放開她，攙扶著她回到座位上。

田芮終於冷靜下來，安分地坐到穹蒼身邊，兩手擺在膝上等待。

手術室外因為她們的沉默，再次陷入一陣寂靜。

員警坐在兩人正對面，確認她們可以和諧相處，才放下心來。他百無聊賴地打了個長長的哈欠，並順手擦掉被擠出來的眼淚。

護理師循聲過來看了一眼，見他們沒事，皺著眉頭提醒了一句，又匆匆離去。

田芮用紙巾把臉上的眼淚跟鼻涕擦乾淨，可還是覺得皮膚上有一層黏膩的東西，糊著讓人難受，就起身去了趟廁所。員警跟在她身後，與她保持著距離，再把她送回來。

田芮的腦子依舊一片混亂，理不清事情，但情緒不再像剛才那樣劇烈起伏。她覺得心口那團不停盤旋著的沉重與煩躁，隨著水流被洗去不少，現在已經可以平和地面對網路上的那些新聞。

田芮重新坐下，擦乾手，捏著手機，在快要碎成蛛網的螢幕上滑動。點開相關的新聞，查看裡面的內容。

柳忱接受採訪的內容，幾乎都還可以在各大媒體主頁上看見。田芮簡單翻閱了一下內容，以及網友總結出來的評論，無名的鬱氣再次堆積，恨不得衝進去把裡面的人都撕碎。

「他在說謊！」

田芮大叫了一聲，下意識轉過頭去看旁邊的穹蒼。

一道毫無波瀾，又極有穿透力的眼神與她對上，田芮感覺周身都涼了下。

她不自覺放低聲音，道：「這個柳忱，說我媽對我爸一直沒有感情，不僅主動洩露我爸的負面消息給他，還暗中慫恿他去散布我爸出軌的謠言，以達到夫妻離婚的目的。這怎麼可能？我媽絕對不是那樣的人！」

穹蒼保持著動作沒動，只是懶懶地問道：「妳父母的感情很好嗎？」

「很好啊！」田芮說：「他們兩個人從來不會吵架。」

對面的員警以過來人的語氣感慨了句：「夫妻倆哪有不吵架的？只是沒讓小孩子看見罷了。」

田芮堅持道：「真的沒有！」

穹蒼淡淡地補充道：「外科工作忙，田兆華經常回不了家，工作時間沒有重疊，他們兩個恐怕沒有多少機會能碰面吵架。」

員警點頭：「有道理。其實我們忙起來的時候也是這樣。」

田芮被他們說得愣了下，而後挪動著屁股朝向他們，努力向他們證明道：「不是，我爸看起來性格內斂，其實是很溫柔的，他平時還會買花送給我媽。我媽生病了，也是他忙前忙後……反正，他們兩個的關係就是很好，不是整天見面膩在一起的那種才叫好，我爸去世之後，我媽哭得肝腸寸斷。我覺得這一點柳忱的確在說謊！」

「嗯？」穹蒼說：「田醫師那麼浪漫？」

田芮肯定道：「當然，我爸還會寫詩呢，我媽還念給我聽過。」

穹蒼的眉尾跳了一下，終於覺得有點不對。她不動聲色地問道：「妳爸還是個文藝青年啊？」

田芮輕笑了下：「這是夫妻之間的浪漫。」

穹蒼問：「那父女之間的浪漫呢？」

「……算了。他那麼忙，顧自己都難。買幾盒芭比娃娃給我，就以為我會很高興了。」田芮說著落寞起來，懷念道：「後來連禮物都沒有了。」

穹蒼又問：「他送的花或詩，有落款嗎？」

田芮終於發覺不對勁，危險地審視著穹蒼，帶著敵意道：「妳是什麼意思？」

穹蒼看她拚命朝自己豎起來的刺，猶豫了下，認為還是要把她當做一個成年人來對待，好好談一談。

「感情好的夫妻，不會在知道一方出軌後還毫無反應。」

田芮不服氣：「妳怎麼就知道我媽毫無反應？」

穹蒼說：「那麼，在妳父親遇害前，妳的母親有什麼異常的舉動嗎？她的性格不夠沉穩，也不懦弱，如果知道自己的愛人移情別戀，是不是會大鬧一場？」

田芮聽著她的話，回憶了一遍已經記不太清楚的內容，心臟因為懷疑而劇烈跳動一下，面上還是強裝鎮定，道：「我那時候還小，她瞞著我也正常。妳都沒見過她，妳怎麼就篤定她是個什麼樣的人？」

穹蒼不置可否地勾了勾唇，重新閉上眼睛。

田芮悶悶地轉過身，背對著穹蒼，也不再說話。

賀決雲提著衣服回來的時候，這兩人之間的氣氛已經接近冰封，中間隔著的兩個座位猶如楚河漢界。員警跟仰望救世主一樣地看著他，朝他做了個雙手合十的拜謝動作。

賀決雲挑了挑眉，說：「都這個時間了，大家餓了吧。要不要輪班去吃個飯？」

穹蒼走上前，接過他手裡的袋子：「謝謝，我去換身衣服。」

賀決雲朝著另外兩人點了點頭，跟在穹蒼身後一起離開。

五分鐘後，穹蒼換好衣服，整理著被外套弄皺的袖口，從廁所走出來。

賀決雲剛從袋子裡抽出菸，準備久違地來上一根，見她動作居然那麼快，又放了回去。問道：「剛才怎麼了？吵起來了？」

「沒有。有點微妙的感覺，但是沒問出來。」穹蒼把手插進風衣的口袋裡，遺憾地嘆了口氣，「不配合，不接受。太天真。」

賀決雲笑道：「這個年紀又沒怎麼經歷過社會的小女孩，天真不是很正常的嗎？他們的世界自成一套，妳跟他們講道理也沒用，應該要用現實說服她。」

穹蒼心想，是自己還不夠現實嗎？她覺得自己再現實一點，田芮就要跳起來暴打她的頭了。

賀決雲比著兩根手指到她面前，做了個點鈔的手勢，邪笑道：「是這個現實。」

穹蒼：「……」該死的有錢人。

手術是在晚上七點多的時候結束的。這個季節，外面的天色已是一片漆黑。

韓笑被推出來後，直接被送進加護病房，田芮想跟進去看看，被護理師攔在了外面。她茫然無措地跟在一群人後頭，不知道之後要做什麼。

這個時刻，她險些被傾軋而來的無助擊倒。她清楚認知到，原來無人依靠的感覺是這樣的。

賀泱雲去找醫師了解情況。主刀醫師已經連續站了幾個小時，小腿和肚子都在打顫。他喝了杯糖水，拿著報告向幾人解釋。韓笑身上的骨頭有多處斷裂，內臟也有多處損傷，好在送醫及時，手術成功，目前沒有生命危險。不過不確定大腦是否會因失血過多而出現後遺症，需要再做觀察。也不確定什麼時候會醒，先等兩天看看情況。

田芮最卑微的希望，就是渴求母親能活著，聽見這個消息已經很感激，感覺枷鎖碎去，身體一軟直接癱倒在地，差點哭出來。

醫師見多了這樣的場景，看田芮年輕，還是覺得很感慨，出言安慰了她兩聲：「都先去吃飯吧，好好休息。病人交給醫院，家屬要照顧好自己。回去吧。」

員警去旁邊把情況彙報給何川舟。田芮緩了緩，從地上爬起來，靠在牆邊休息。

賀泱雲去前檯拿了醫藥費的單子回來，厚厚一疊，捲在手心，朝穹蒼癟癟嘴。

穹蒼搖頭，表示自己真的不想參與。

賀泱雲堅持，不停朝著田芮那邊示意，穹蒼沒有辦法，只能去做他的小跟班。

「田芮！」

賀泱雲叫了一聲，朝田芮招招手。田芮有些猶豫，隨後跟著兩人去了安靜的小陽臺。

「清單。」

賀泱雲言簡意賅，把寫著總金額的字條壓在最上面遞了過去。

田芮本來還不當回事，等把紙捏到手裡，看輕上面的資料，額頭上的青筋立刻開始猛跳。

賀泱雲面沉如水道：「頂級的醫療資源是很昂貴的，尤其是救命的東西。韓笑剛才的那場手術，設備、器材、藥物，全都是用最好的，也是妳自己簽的名。之後她還要住在ＩＣＵ裡進行觀察，術後還要復健，妳知道ＩＣＵ一天要花多少錢嗎？」

田芮死死盯著面前的帳單，一張張往下翻，臉上的血色漸漸褪去，沒一會兒就變得蒼白。

賀泱雲靜靜等著她，看著她手指開始顫抖，足足用了一兩分鐘，才虛虛地吐出三個字：「我知道。」

賀泱雲很現實地問道：「妳有錢嗎？」

田芮的家裡是有一定積蓄的，但是錢都是韓笑存放。韓笑在家庭教育上做得十分嚴格，可以給孩子足夠的生活費，但絕對不會讓她揮霍。

可是現在韓笑正在病房裡躺著，田芮根本不知道錢被藏在哪裡，一時間要她拿出幾十萬，她要去哪裡找？

田芮六神無主地說：「我們有保險……」

賀決雲殘忍地打斷她：「什麼保險？醫療保險還是交通保險？交通事故判定為自己全責，普通的醫療保險是不納入給付範圍的。而交通保險是有額度上限的，還有規定的賠償範圍、項目。超出合約外的醫療費用，他們不予賠償。我不知道妳媽保了多少，保的是什麼等級，但我得提醒妳，在這場手術中用到的進口藥材、進口器材，多數都不在保險範圍之內。除此之外，你們還需要賠償別的財產損失。妳媽媽那一撞，造成的損失可不小。不僅刮傷了兩輛汽車，周圍的護欄、圍牆也被她撞飛了。妳確定你們家的保險金額夠用？」

田芮當然不知道。她怎麼會知道這些雞毛蒜皮的事情？她的世界從來都是有人替她安排好的，她不知道一場車禍，可以造成那麼大的經濟損失。

田芮兩手垂下，大拇指的指甲用力摳著別的手指，支支吾吾地說不出話。

賀決雲看著她這樣子，有些於心不忍，卻還是把無比嚴峻的結果擺在她面前。

「而且，走保險是需要時間的。妳確定妳母親等得起？」

「那你說，我該怎麼辦啊？」田芮紅著眼睛，深吸一口氣，懇求地說：「你能不能先借我點錢？等我媽醒了就還給你，真的，我家裡還有存款。你不是在三天工作嗎？你是不是能幫我？」

「我當然有錢。」賀決雲說這話的時候，表情卻是很冷漠的，他反問道；「但我為什麼要平白無故地借給妳呢？妳應該知道當今社會借錢不容易吧？」

這一刻，田芮的眼神裡閃過失望、絕望，以及許多心酸的情緒。她想自己可以去找母親的同事借錢，去找自己另外幾位不算很熟的長輩借錢，但應該借不到那麼多，且後續還有更大一筆的醫療費。

她深深望著賀決雲，沒有辦法，雙溪向下彎曲就要向他跪下，一雙手及時把她托住，用力把她提起。

「妳的尊嚴不值錢。」賀決雲直接道：「帶我們去妳家，並且接受所有調查。妳明白我的意思。」

——《案件現場直播03　騙局與謊言》完——

——敬請期待《案件現場直播04　遲來的正義》精彩大結局——

高寶書版集團
gobooks.com.tw

YS 038
案件現場直播 03 騙局與謊言
作　　者　退　戈
特約編輯　眭榮安
責任編輯　吳培禎
封面設計　單　宇
內頁排版　賴姵均
企　　劃　何嘉雯

發 行 人　朱凱蕾
出　　版　英屬維京群島商高寶國際有限公司台灣分公司
　　　　　Global Group Holdings, Ltd.
地　　址　台北市內湖區洲子街88號3樓
網　　址　gobooks.com.tw
電　　話　(02) 27992788
電　　郵　readers@gobooks.com.tw（讀者服務部）
傳　　真　出版部(02) 27990909　行銷部 (02) 27993088
郵政劃撥　19394552
戶　　名　英屬維京群島商高寶國際有限公司台灣分公司
發　　行　英屬維京群島商高寶國際有限公司台灣分公司
法律顧問　永然聯合法律事務所
初　　版　2024年08月

本著作物《案件現場直播》由北京晉江原創網絡科技有限公司授權出版。

國家圖書館出版品預行編目(CIP)資料

案件現場直播. 3, 騙局與謊言/退戈著. -- 初版. --
臺北市：英屬維京群島商高寶國際有限公司臺灣分公司, 2024.08
　冊；　公分. --

ISBN 978-626-402-064-0(平裝)

857.7　　113012167